W9-ARJ-710

Mini Labriski

Sucrabolique !

Édition : Nathalie Ferraris
Design graphique : 21 grammes – Agence d'idéation
Illustrations : Annemarie Bourgeois
Maquette et montage : Josée Amyotte
Révision : Lucie Desaulniers
Correction : Audrey Cassivi et Odile Dallassera

DISTRIBUTEURS EXCLUSIFS :

Pour le Canada et les États-Unis :
MESSAGERIES ADP inc.*
Téléphone : 450-640-1237
Internet : www.messageries-adp.com
* filiale du Groupe Sogides inc., filiale de Québecor Média inc.

Pour la France et les autres pays :
INTERFORUM editis
Téléphone : 33 (0) 1 49 59 11 56/91
Service commandes France Métropolitaine
Téléphone : 33 (0) 2 38 32 71 00
Internet : www.interforum.fr
Service commandes Export – DOM-TOM
Internet : www.interforum.fr
Courriel : cdes-export@interforum.fr

Pour la Suisse :
INTERFORUM editis SUISSE
Téléphone : 41 (0) 26 460 80 60
Internet : www.interforumsuisse.ch
Courriel : office@interforumsuisse.ch
Distributeur : OLF S.A.
Commandes :
Téléphone : 41 (0) 26 467 53 33
Internet : www.olf.ch
Courriel : information@olf.ch

Pour la Belgique et le Luxembourg :
INTERFORUM BENELUX S.A.
Téléphone : 32 (0) 10 42 03 20
Internet : www.interforum.be
Courriel : info@interforum.be

Catalogage avant publication de Bibliothèque et Archives nationales du Québec et Bibliothèque et Archives Canada

Titre : Sucrabolique ! / Madame Labriski.
Noms : Labriski, Madame, 1978- auteur.
Identifiants : Canadiana 20190025271 | ISBN 9782897542122
Classification : LCC PS8623.A3332 S83 2019 | CDD jC843/.6—dc23

09-19

Imprimé au Canada

Dépôt légal : 2019
Bibliothèque et Archives nationales du Québec

ISBN (version papier) 978-2-89754-212-2
ISBN (version numérique) 978-2-89754-213-9

Gouvernement du Québec – Programme de crédit d'impôt pour l'édition de livres – Gestion SODEC – www.sodec.gouv.qc.ca

L'Éditeur bénéficie du soutien de la Société de développement des entreprises culturelles du Québec pour son programme d'édition.

Conseil des Arts du Canada | Canada Council for the Arts

Nous remercions le Conseil des Arts du Canada de l'aide accordée à notre programme de publication.

Canada

Nous reconnaissons l'aide financière du gouvernement du Canada par l'entremise du Fonds du livre du Canada pour nos activités d'édition.

Mini Labriski

Sucrabolique !

Un roman écrit par
MADAME LABRISKI
et illustré par
ANNEMARIE BOURGEOIS

À Adrien, Antoinette

et tous les petits yeux étoilés du monde

qui rêvent de rencontrer un arbapapa.

Mordez dans la vie !

1

Comme un raisin sec dans l'aspirateur

Zouuuuuuuuupe !

Je ne sais pas si tu vas me croire. Toi, oui toi qui tiens ce livre entre tes mains, imagine-toi donc que je viens de vivre une aventure **INCROYABLE !** Disons que je ne m'attendais pas à ça. Je me pince pour vérifier. Outch !

Fais-tu ça des fois, toi ? Cherches-tu à savoir si tu es bien là, à vivre ce que tu vis ? Moi, je fais ça. Et là, je te confirme que je suis dans ma cuisine. Il est 11 h 11 : 15. La dernière fois que j'ai regardé l'heure, il était

Je ne suis partie que… quatre secondes. Quatre secondes !

CROTTE DE SINGE, c'est donc vrai ! Je suis vraiment Mini Labriski !

– Maman ! Papa ! Vous êtes rentrés ?

Mais non, ils sont encore dehors. Après tout, je ne suis disparue que quatre secondes !

Je les aperçois par la fenêtre de la cuisine. Mon père répare son vélo et ma mère surveille mon petit frère dans la balançoire. Ma mère m'a dit qu'on allait dîner vers midi.

Mon cœur palpite à cause de cette extraordinaire aventure ! Je pense que j'ai le temps de la partager avec toi avant midi. **MA-LA-DE !** Il faut que je te raconte !

Ce matin, je me suis levée avec une envie très forte de faire des petits gâteaux. J'adoooooooore cuisiner des petits gâteaux blancs. Je pourrais me rouler dedans tellement j'aime ça !

Ma mère est du genre à faire des gâteaux plus santé. Mais moi, j'aime les boîtes de préparation à gâteau qu'on trouve à l'épicerie. Parce que j'aime les gâteaux sucrés ! Je trouve que ça goûte la garderie ! Quand j'y allais, on recevait toujours un *cupcake* pour notre fête. Un *cupcake* au sucre cuisiné avec une boîte de gâteau en poudre de l'épicerie.

Pour moi, c'est le **PARADIS** !

Des fois, on fait un spécial à la maison et on achète un mélange en boîte. Ma mère me laisse cuisiner les petites pâtisseries toute seule.

Quand elle ne regarde pas, je prends des lichettes de pâte en cachette. Pas une ou deux, mais trois, quatre, cinq et six lichettes ! Toi, fais-tu ça ? J'aime tellement ça !

En fait, ce que j'aime le plus dans les petits gâteaux, c'est les décorer avec du glaçage. Mais je n'aime pas juste étendre le glaçage. J'aime faire de mes gâteaux des œuvres d'art qu'on dévore autant avec les yeux qu'avec la bouche ! J'aime jouer avec le colorant alimentaire et faire des expériences **SUPER-TOP-EXTRA-DÉLICIEUSES**.

Mais ma mère ne veut pas toujours que je cuisine des gâteaux. Des fois, elle me dit non parce qu'elle n'a pas le goût de nettoyer la cuisine après.

Aujourd'hui, j'ai attendu qu'elle revienne de ses 15 km de course à pied du samedi matin, 6 h (ma mère est méga matinale) pour lui demander si je pouvais cuisiner des petits gâteaux.

En général, elle est toujours plus de bonne humeur après sa course. Elle dit que l'exercice lui donne de l'énergie et fait circuler son sang. Je ne comprends pas trop ce qu'elle veut dire, mais ce n'est pas important parce que mon plan a fonctionné : elle m'a dit que si je ramassais tout tout tout, je pouvais faire ce que je voulais.

– Quoi ? Vraiment ? Je peux faire des petits gâteaux et les décorer avec ce que je veux ?

– Oui, ma chérie. Mais seulement si tu nettoies toute la cuisine ensuite.

– Vraiment ?

– Oui ! Si tu ranges tout et que tu ne gaspilles pas.

– **YAHOOOOOOOOO !**

– N'oublie pas de mettre un tablier ! Le colorant alimentaire, ça tache.

Mettre du colorant de toutes les couleurs dans les glaçages achetés et décorer les gâteaux, c'est l'une de mes activités préférées. Mes parents gardent une boîte « secrète » (qui n'est plus tellement secrète) dans l'armoire à friandises. Ils disent que c'est une réserve pour les jours de fête. Un jour de fête sans gâteau, ce n'est pas un jour de fête, dit mon père.

Lui, il est comme moi. Il aime les gâteaux qu'on cuisine avec une préparation.

Choco
Petites
RÉGLISSES
3

Cette boîte « secrète », c'est une vraie mine d'or sucrée ! Il y a des bonbons à gâteau de toutes les formes et de toutes les couleurs de l'arc-en-ciel. Ça brille d'un coin à l'autre de la boîte et ça sent le sucre à plein nez. Il y a des jujubes, des réglisses, des petits bonbons, des pépites de chocolat, des pépites de caramel, des perles à gâteau et des brillants à pâtisserie.

Quand on l'ouvre, c'est presque magique, ça sent le gros **BONHEUR** !

Dans la boîte, il y a aussi une mini valise en métal dans laquelle se trouvent des bouteilles de colorants alimentaires et des essences de toutes les saveurs : caramel, chocolat, menthe, orange, citron, vanille, fraise, cannelle, gingembre, citrouille…

C'est vraiment une boîte aux trésors ! J'ai dû attendre mes huit ans pour avoir le droit de l'ouvrir et de jouer avec les merveilles qu'elle contient.

Ma mère adore inventer des recettes – de gâteaux surtout ! – et c'est elle qui achète tout ça. Elle me fait toujours sentir et goûter tous les ingrédients qui les composent.

C'est aussi grâce à elle que j'ai appris à cuisiner des *cupcakes* multicolores méga-cool-artistiques-comme-des-œuvres-d'art. Elle me permet de suivre mes idées, elle me laisse raffermir mon « **MUSCLE À IMAGINATION** », comme elle dit. Elle trouve que c'est super important de développer sa créativité.

J'ai donc fait mes gâteaux. Ma mère m'a aidée pour les faire cuire.

Le supplice, c'est d'attendre qu'ils soient assez froids pour les décorer. Ça sent tellement bon, la vanille et le sucre ! **CROTTE DE SINGE** que j'aime ça ! Je ne me pouvais plus d'attendre. Je sautillais partout !

Pour me calmer, j'ai pris de grandes respirations et on a mis la chanson de mon groupe préféré dans les haut-parleurs de la cuisine. Par la suite, j'ai commencé mes mélanges colorés. C'est fou comme j'aime voir les couleurs se mélanger ! Ma mère a touché les gâteaux pour vérifier.

– C'est beau, ma chérie, ils ont refroidi. Tu vas pouvoir les décorer.

– Hourra !

J'ai attrapé la cuillère en bois qui était près de moi, je l'ai saisie comme un micro et j'ai lancé :

– Allez, que tout le monde sorte de la cuisine ! Laissez travailler l'artiste des gâteaux à la Frida Kahlo*. Je vais faire venir à moi l'inspiration. Touuuuuuuute la force de l'inspiraaaaaaaaaaationnnnnnn. Je vais vous épater et vous allez vous régaler !

Mes parents se sont mis à rire. **HA ! HA ! HA !**

– C'est vrai que tu crées des œuvres d'art, ma petite lapine en sucre à la vanille – j'ai horreur des surnoms idiots que mon père me donne. Nous, on va aller dehors, mademoiselle l'artiste.

– Oui, ma chérie, a renchéri ma mère. Fais-moi signe si tu as besoin d'aide.

Il était environ 11 h 09 sur le cadran numérique de la cuisine quand j'ai enfin eu la paix. Je les aime, mes parents et mon petit frère, mais, des fois, j'aime ça faire mes affaires toute seule.

J'ai préparé mes crémages et je les ai mis en place pour commencer à décorer mes gâteaux. J'aime les placer dans l'ordre des couleurs de l'arc-en-ciel. Je trouve ça beau et ça m'inspire.

---

* Frida Kahlo (1907-1954) est une artiste peintre mexicaine qui a joué un rôle important pour le mouvement artistique mexicain de son époque. On la reconnaît facilement par les fleurs qu'elle porte sur sa tête sur ses auto-portraits.

Une lichette par-ci, une lichette par-là.

Comment résister ? **CROTTE DE SINGE**, c'est humainement impossible de ne pas goûter ! Au nom du club-des-artistes-des-gâteaux-sucrés-du-samedi-matin (je viens d'inventer ça), je confirme qu'il faut toujours goûter à toutes les couleurs ! Mais oui, au cas où l'une d'elles serait moins bonne. Il faut faire pareil avec tous les bonbons, pour s'assurer de leur fraîcheur. Il ne faut surtout pas gaspiller, comme le dit si bien ma mère.

OUTCH ! J'ai senti un petit courant électrique passer dans ma main. Qu'est-ce que c'est que ça ?

C'est là qu'il s'est passé quelque chose d'encore plus spécial-spatial !

Il me restait le mélange de glaçage jaune-orange à tester. Je le répète, il faut toujours tester en cuisine !

J'en ai mis dans ma bouche et j'ai senti un picotement sur ma langue. J'ai eu un mal de cœur hyper intense. Ma cuillère s'est mise à me brûler la main, une odeur de pourriture m'est montée au nez et un rayon lumineux m'a aveuglée.

Puis, j'ai vu une dame à grandes dents qui me regardait droit dans les yeux. J'ai entendu un rire étrange et je me suis sentie aspirée comme un raisin sec dans l'aspirateur. **ZOUUUUUUUUUPE !**

2

Ma cuillère disparaît

Pouf !

Zouuuuuuuuuuuuuuuuuuuuuuuuuupe !
Zouuuuuuuuuuuuuuuuuuuuuuuuuuuuuuuupe !
Zouuuuuuuuuuuuuuuuuuuuuuuuuuuuuuuupe !

L'aspiration continue. Je suis dans le noir et je crie de toutes mes forces, comme si je venais de faire un face-à-face avec le monstre qui habitait dans ma garde-robe quand j'étais petite.

J'ai peur. Je hurle ma vie.

– Maman ! Maaaaaaaamannnnnnnnnnn ! Mamannnnnnn !

BANG !

J'atterris les fesses sur un banc froid. J'ouvre les yeux : la pièce dans laquelle je me trouve est sombre et il y a des lumières partout autour de moi. Elles proviennent d'une boule disco.

J'ai ma cuillère à la main. Elle est un peu chaude et il y a encore du glaçage jaune-orange dessus. Il commence à dégouliner sur ma main. Une étrange émanation de la même couleur donne l'impression que ma cuillère fume.

Je regarde partout, je ne vois personne. J'ai la trouille de ma vie. Je crie de nouveau :

– Mamannnnnn ! Mamannnnnnn ! Mamannnnnnnn !

Soudain, d'un seul coup, plus rien.

STOP.

Plus rien ne sort de ma bouche.

RIEN DE RIEN.

J'essaie de crier, mais... rien.

SILENCE TOTAL.

...

Soit j'ai perdu mes oreilles – je les touche, elles sont bien là (ouf !) –, soit j'ai perdu la voix. J'essaie de me lever, mais mes fesses sont collées au banc. Je ne peux rien faire. Je continue d'essayer de crier.

Une grosse voix masculine résonne. Je lève la tête : une mezzanine vitrée comme un aquarium est suspendue au plafond. Mais je ne vois que des ombres.

– Cessssse de crieeeeeer, Miniiiiii. Tuuuu vaaaaas t'épuiiiiiiser.

CROTTE DE SINGE, je capote ! Je suis raide comme une sucette glacée. Je suis tellement surprise que j'imagine que mes yeux sont gros comme des paparmanes gigantesques. J'ai peur.

La voix résonne encore plus fort :

– N'aie paaaas peuuuuur.

Une voix enjouée se fait aussi entendre :

– Mais non, n'aie pas peur, ma petite Mini. Tasse-toi, Fiasco, tu vas l'épouvanter !

Je suis toujours droite comme un spaghetti pas cuit. J'entends des voix qui marmonnent. Je suis morte de trouille et mes jambes sont molles comme des vers de terre en jujube.

Je les entends de nouveau.

– Remets-lui son volume ! La pauvre petite veut nous parler.

– OK, OK... C'est faiiiiiiit.

La voix enjouée s'adresse à moi :

– Vas-y Mini, parle-nous.

Je hurle de frousse.

– Ahhhhhhhhhhhhhhhhh ! Ahhhhhhh ! Ahhhh...

SILENCE.

On m'a encore coupé la voix.

La voix la plus radieuse à provenir du plafond poursuit :

– Non, non, non ! Ne crie pas, Mini ! Si tu cries, on n'arrivera à rien. Attends, je viens te rejoindre.

De grosses lumières s'allument et j'entends claquer des talons. Mon cœur va exploser tellement il bat vite.

Une femme habillée d'une jupe jaune soleil (quasi comme mon glaçage, mais encore plus lumineux) et d'une blouse mauve apparaît. Elle a une grosse chevelure rousse et un bandeau à motifs multicolores. Ses yeux verts pétillent et elle a le sourire fendu jusqu'aux oreilles. Elle s'approche de moi et fixe avec envie la cuillère que je tiens toujours sans même m'en rendre compte. Je suis encore sous le choc. Estomaquée ! Ses yeux brillants deviennent de petites lumières.

– Bonjour, Mini ! Moi, c'est Félicité BedonMignon.

Elle m'arrache la cuillère des mains.

– Ohhh ! Le beau glaçage ! Il y a plein de sucre là-dedans. Ce n'est pas bon pour toi, trop de glaçage. J'aime la couleur ! Peut-être que je peux prendre une petite lichette, juste une petite...

Aussitôt, une nouvelle voix féminine résonne au plafond :

– **NON**, Gourmandine, ne touche pas à ça ! Souviens-toi de ce que ça te fait quand tu manges trop de sucre.

La femme en jaune soleil et en mauve (elle s'appelle Félicité ou Gourmandine ? Je ne sais pas) répond :

– Hey, Les palettes cariées, laisse-moi rêver ! Et appelle-moi pas Gourmandine ! Mon nom, c'est Félicité !

La voix masculine réplique aussitôt :

– Gourmandiiiiiiiine, neeeeeee faiiiiiiit paaaaaas çaaaaaaa.

Gourmandine-Félicité se met à piétiner sur place et à faire claquer ses talons. Deux autres personnes arrivent : un homme et une femme.

La femme marche d'un pas décidé. Elle a les cheveux raides comme de la broche et noirs comme la nuit. Ses yeux sont bleus et elle a les plus grosses palettes que j'aie vues de toute ma vie. On dirait presque une lapine géante ! J'exagère, mais je n'ai jamais vu ça, des dents aussi longues ! Je suis bouche bée.

J'imagine que ce sont les deux personnes qui me parlaient. La dame aux palettes reprend ma cuillère des mains de Gourmandine et hume le glaçage.

– Saint-Sauveur-des-beignets-pas-de-trou que ça sent bon !

L'homme a fière allure avec sa chevelure poivre et sel presque blanche. Il saisit ma cuillère et la met dans un sac qui se referme comme par magie, et **POUF** ! tout disparaît de ma vue : la cuillère et le sac.

CROTTE DE SINGE, je n'ai jamais vu ça ! On se croirait dans un film.

– Eille ! Ma cuillère ! Elle est à moi ! Qu'est-ce qui se passe ? Je suis où ?

Je crie à m'en faire péter les amygdales :

– **MAAAAAAAAMANNNN ! AU SECOUUUUUUUUURS ! MA...**

Plus rien.

SILENCE TOTAL.

Je crie, mais on n'entend rien.

RIEN DE RIEN.

Pendant que je crie (ou que j'essaie de crier), Gourmandine-Félicité calme son envie de glaçage et le trio se met à rire en me regardant faire des efforts. Après quelques instants, madame Les palettes s'approche de moi et avertit ses amis :

– Taisez-vous ! Vous allez lui faire peur.

J'essaie toujours de parler, mais rien ne sort.

– Pauvre Mini, dit madame Les palettes. Elle ne peut pas comprendre ce qui lui arrive. Elle ne sait pas qu'elle est notre Mini.

Gourmandine-Félicité ajoute en s'avançant à son tour :

– Tu as raison. Pauvre Mini ! Calme-toi, belle enfant, on va tout t'expliquer. Fiasco, remonte-lui son volume et arrête de jouer avec le son de sa voix.

J'essaie de nouveau d'ouvrir la bouche. Pourquoi contrôlent-ils mon « volume » ?

– De quoi parlez-vous ?

Super, j'ai du « son » dans ma voix ! C'est déjà ça. Je continue.

– Je ne suis pas votre « Mini » ! Et où suis-je ? Et qui êtes-vous ? Et que me voulez-vous ?

J'essaie de me calmer, mais ce n'est pas évident. Gourmandine-Félicité se lance :

– Moi, c'est Félicité BedonMignon.

Madame Les palettes réplique :

– **GOURMANDIIIIIIIIIINE !**

– Bon, OK. Mon vrai nom, c'est Gourmandine BedonRond. Depuis que je suis née, j'ai un petit côté gourmand, alors on m'a donné ce nom. Mais j'aimerais m'appeler Félicité BedonMignon ! Alors, je me pratique à dire mon nouveau nom, mais on m'appelle encore Gourmandine. En vérité, je n'ai pas encore le droit d'utiliser ce nom.

Madame Les palettes s'approche.

– Moi, c'est Paulette Carrier, mais on m'appelle Les palettes cariées. Un jour, tu comprendras pourquoi. Lui, il s'appelle monsieur Fiasco-de-la-Fatigue, mais on l'appelle Fiasco. Il parle lentement parce qu'il est toujours très fatigué.

Il s'approche de moi. J'essaie de bouger, mais mes fesses sont toujours **ULTRA-COLLÉES** sur le banc.

Monsieur Fiasco-de-la-Fatigue se penche et me regarde dans les yeux.

– Enchantéééééééé, Miniiiiiii. N'aie paaaaas peuuuuur. On vaaaaa t'expliiiiiiiiiiquer pourquoooooi tuuuuu es iciiiiiiiii. Tuuuuuuu as étéééééééé choisiiiiiiiiiiie paaaaaaaarmi tous les enfaaaaaants de la Terrrrrrrre pour nous saaaaaauveeeeer.

Il parle tellement lentement que c'en est presque endormant. Je ne comprends pas. J'ai sûrement un point d'interrogation dans le front.

– Vous sauver de quoi ? Je suis où ? Mamannnnnnn !

Gourmandine me prend par la main.

– N'aie pas peur, Mini. Tu es une enfant unique qui a compris que l'**IMAGINATION** nous permet de réaliser de grandes choses. Tu es une artiste des possibilités, une athlète des solutions originales. Tu crées comme tu respires et tu n'as pas de limites. Tu as en toi une force méga-ultra-supra-puissante-olympienne.

Le point d'interrogation dans mon front vient de se multiplier par un million.

– De quoi parlez-vous ? Je ne suis pas une Mini, je suis Millie LaBrise et j'habite sur la rue des Papillons Doux à Québec. Mes amis m'appellent Mimi et pas Mini.

– Ma chère Mimi, ici, tu es notre Mini.

– Ouiiiiiiiii, laissssssse-nous t'expliiiiiiiquer. Gourmandiiiiiiiiiine, vas-yyyyyyyyyy.

J'ai maintenant certainement un milliard cinq cents trillions de milliards de points d'interrogation dans le front. Je ne sais plus quoi dire. J'attends qu'on m'explique. Je suis toujours collée à mon banc.

– Grâce à la force de l'Imagination Extra-Top-Puissante, tu as été choisie parmi tous les enfants de la Terre pour nous sauver du plan S des maîtres de notre royaume. Nous, monsieur Fiasco-de-la-Fatigue, Paulette-les-palettes-Carrier et moi, avions la mission de te faire venir ici.

J'écoute. Mais je suis confuse.

– Je... les... force de quoi? Quel plan? Vous sauver de quoi? Je dois être chez moi pour midi et je dois aller finir mes petits gâteaux.

Gourmandine continue:

– Mini, inquiète-toi pas. Ici, le temps s'arrête. Il ne fonctionne pas comme chez toi. Quand tu vas retourner dans ta maison, il sera exactement **QUATRE SECONDES** plus tard que l'heure à laquelle tu en es partie. Il sera 11 h 11 min 15 s. Mais tu as une mission à remplir avant de nous quitter.

Je n'arrive pas à croire cette histoire **ABRACADABRANTE**.

– Je veux retourner chez moi!

J'essaie de nouveau de me lever, mais ça ne fonctionne pas. Paulette-les-palettes met sa main sur ma tête comme pour me clouer sur le banc où je suis... déjà clouée.

– Calme-toi, Mini. On le sait, ça fait beaucoup de choses à saisir. Es-tu bien assise ?

Elle éclate d'un rire en dents de scie qui me donne la frousse. **HA ! HA ! HI ! HI ! HA ! HA !** Je reconnais ce rire : c'est celui que j'ai entendu lorsque je me suis sentie aspirée avant de me retrouver ici.

– Les paletteeeeeeees, cesssssssse de faireeeeeeeee peuuuuuuuur à Miniiiiii avec tooooooon rirrrrrrrre, lance monsieur Fiasco-de-la-Fatigue.

Paulette-les-palettes se ressaisit et prend une voix rassurante :

– Tu sais pourquoi tes fesses sont toujours collées au banc ? C'est parce que tu as peur. Quand tu vas te détendre, ton popotin va se lever tout seul. C'est un exemple des forces de ton **IMAGINATION EXTRA-TOP-PUISSANTE**.

– Vraiment ?

– Oui ! Tout ton potentiel se trouve entre tes deux oreilles. Ici, dans cette salle, tout est magnifié. Tout est plus gros ou plus fort. On t'a fait venir ici pour t'aider à comprendre qui tu es et ce que tu portes en toi. On te l'a dit, tu as été choisie parce que tu as un talent unique et toi seule pourras nous sauver… et sauver le monde.

– Vous sauver de quoi ?

– Saint-Sauveur-des beignets-pas-de-trou ! Du **PLAN S** des maîtres de notre royaume, continue Paulette.

– Vous m'avez enlevée ? J'ai été kidnappée ?

– Disons empruntée.

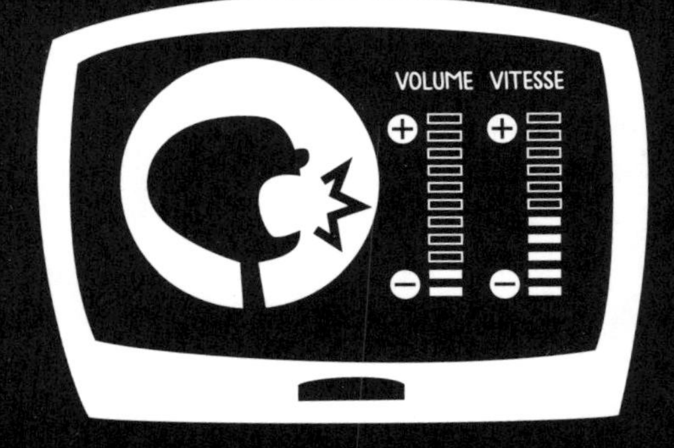
VOLUME VITESSE

3

Bienvenue en Infinini

Boum !

omment est-ce qu'on peut se faire emprunter ? Je ne suis pas chez moi. Je ne sais pas où je suis. Et je ne peux pas bouger de mon banc.

J'ai vu ma cuillère de glaçage disparaître devant moi et il y a trois personnages étranges qui essaient de me faire croire que je suis une enfant différente, choisie parmi tous les enfants pour sauver le monde. On me parle de la force de l'Imagination Extra-Top-Puissante et d'un plan S. Une baguette magique avec ça ?

– Oui, si tu veux. Ça sera à toi de décider.

HEIN ? Gourmandine BedonRond entend ce qui se passe dans ma tête ?

– Oui. Ici, dans cette pièce, la force de l'Imagination Extra-Top-Puissante magnifie les forces de chacun grâce à la technologie ultrasensorielle de la mezzanine de contrôle qui est là-haut. On l'appelle le mezzarium.

CROTTE DE SINGE, je n'en reviens pas ! Elle poursuit :

– Et comme j'ai des yeux brillants, si je me concentre, je peux lire ce qui se passe dans ta tête. Et toi, si tu te concentres bien, tu peux lire dans mes yeux. Paulette-les-palettes, elle, sent la peur à 1 000 000 km à la ronde. Et Fiasco, bien... il t'expliquera. Mais nous n'avons ces pouvoirs que dans cette salle, parce que, dans les dernières années, nous avons trop abusé des possibilités à volonté (ou à l'infini) de notre univers. Alors que toi... toi, **TON POTENTIEL EST GRAND !** Tu me ferais vraiment plaisir si tu m'appelais Félicité BedonMignon, petite Mini.

Fiasco-de-la-Fatigue la fusille du regard.

– Gourmandiiiine ! Ceeeeesssse ton manèèèèège et expliiiiiiiiiique-luiiiiiiii touuuuuut. Le temps presse !

– Calme-toi, Fiasco ! Je vais tout lui dire.

Gourmandine se tourne vers moi et prend une grande inspiration :

– Tu es ailleurs, Mini.

Non mais, elle me prend pour qui ?

– Oui, ça, j'ai compris, mais je suis où ? À Québec, à Montréal, à Rimouski, à New York, à Paris, à Gaspé ?

Les trois amis se mettent de nouveau à rire.

– Non ! Tu es dans l'espace temporel de l'Infinini. Plus précisément dans la salle des Possibilités absolues qui nous permet d'utiliser les forces de l'Imagination Extra-Top-Puissante. L'espace temporel de l'Infinini est un univers parallèle à celui où tu vis. Nous sommes sur la Terre, mais dans une autre dimension. C'est la dimension de la masse noire. Es-tu toujours bien assise ? Je vais t'en dire plus.

Si je suis bien assise ? Aux dernières nouvelles, j'étais collée sur le banc ! Je vérifie.

INCROYABLE ! Je peux me lever.

– Je peux me lever ! Je peux me lever !

– Oui ! C'est parce que tu es détendue et que tu as cessé d'avoir peur de nous, précise Paulette-les-palettes. Mais reste assise, on n'a pas terminé.

Je me rassois. Je suis contente !

Je constate que ma peur est différente. J'ai peur, mais je suis curieuse et je me sens bien. Il faut dire que je suis captivée par l'histoire de Gourmandine.

Ma mère me dit toujours d'écouter la petite voix en moi. Là, je comprends ce qu'elle essayait de me dire. Je suis bien, alors ma peur diminue.

– On a besoin de toi pour nous sauver et sauver le monde, poursuit Gourmandine. Ton Imagination naturellement Extra-Top-Puissante te permet d'avoir des pouvoirs uniques dans l'Infinini. Fiasco, tu veux lui parler de l'Infinini ? Mets-toi en mode accéléré, comme ça, tu vas parler plus vite.

Monsieur Fiasco-de-la-Fatigue prend une tablette – j'imagine que c'est celle avec laquelle il s'amusait à allumer et à éteindre **MON** volume de voix – et appuie sur un bouton.

– Appelle-moi-juste-Fiasco, Mini. Ça-va-être-plus-simple-comme-ça-et-ça-va-aller-plus-vite.

Je n'en reviens pas. Monsieur Fiasco s'est mis à parler très, très vite.

– Vous ne parlez pas un peu trop vite, monsieur Fiasco ?

– Je-vais-ajuster-le-débit-car-tu-as-raison-même-moi-je-trouve-ça-fatigant-c'est-un-vrai-fiasco. **HA ! HA ! HA !**

Il rit et appuie de nouveau sur le bouton de sa tablette.

– Comme ça, c'est mieux ? demande-t-il.

Avec la tête, je fais signe que oui.

CROTTE DE SINGE, qu'est-ce qui se passe ici ? Je suis entre deux mondes.

Fiasco prend une chaise et s'assoit.

– L'Infinini est un monde fascinant. Il a été une terre de jouvence* pour des milliers de personnes. Il y a très, très, très, très longtemps, alors que tu n'étais même pas encore au monde, un homme a découvert une étrange masse noire dans le ciel. Curieux, il est monté au sommet d'un arbre géant pour voir s'il pouvait observer la masse de plus près, mais il a été automatiquement aspiré par elle. Comme s'il était tombé dans un trou muni d'une énorme glissade où on est poussé par un vent aérodynamique.

Je l'écoute en silence. C'est l'histoire la plus incroyable que j'aie jamais entendue ! Il poursuit :

---

* Terre de jouvence : endroit qui symbolise la jeunesse et le bonheur éternels.

– Cet homme s'est retrouvé, en quatre secondes, dans l'Infinini. Comme toi. Un monde parallèle à celui que tu connais. Un monde où le temps n'existe pas comme chez toi. Un monde où tout est éternel… ou presque. Par exemple, moi, j'ai 350 ans. Ici, on vit à l'infini… ou presque. Tu me suis toujours ? Je continue ?

Je fais signe de la tête. Je n'arrive pas à parler. Je n'en reviens pas. Je lui aurais donné gros max l'âge du nouveau compagnon de ma grand-mère : 84 ans.

CROTTE DE SINGE, Fiasco a 350 ans !

Il poursuit :

– Lorsque l'homme est arrivé ici, il a découvert un univers nouveau, celui des possibilités infinies. Dès qu'il pensait à quelque chose, cette chose se matérialisait devant ses yeux. Il avait tout ce qu'il voulait dans l'instant présent, ou presque. Ici, tout va plus vite. C'est comme si nos pensées et nos souhaits étaient directement connectés avec le centre commercial de la vie.

– **HEIN ?** Je ne suis pas certaine de comprendre.

– Ici, tu peux penser à un énorme cornet de crème glacée triple chocolat, et le voilà qui apparaît comme par magie dans tes mains. Tu peux avoir le verger le plus productif de l'Infinini. Ou encore, tu peux décider de faire pousser les plus grosses courgettes de l'univers pour développer des remèdes miraculeux contre les maladies.

Fiasco fait une pause, puis reprend :

– Ici, tout était possible... à l'infini. C'est pour ça que l'univers dans lequel nous sommes se nomme l'Infinini. Quand l'homme est arrivé, il s'est retrouvé sur une grande plaine inexploitée. Il a marché, marché, marché et il est arrivé au centre des commandes de cet univers, à l'entrée de la ville, et il a rencontré les Infininitiens.

– **DES EXTRATERRESTRES ?**

– Non, les Infininitiens ressemblent à des humains, mais ils utilisent leur cerveau de façon différente. Les Infininitiens étaient très heureux parce qu'ils avaient enfin la confirmation que la vie existait ailleurs dans l'univers. L'homme est devenu une star instantanée et il a convaincu les Infininitiens de faire venir d'autres Terriens dans l'Infinini. Je suis de ces hommes. Je voulais vivre une vie nouvelle où tout était possible. Nous avons été 2000 à faire la traversée.

Fiasco s'arrête. Il semble soudainement ému.

– Après notre traversée, la masse noire s'est refermée et on a entendu « Fermeture éternelle activée ». Les gens hurlaient de peur. Mais, rapidement, nous nous sommes mis à aimer cette nouvelle vie. Jusqu'au jour où les Infininitiens d'adoption se sont mis à abuser des bonnes choses. Depuis quelques années, les gens ne consomment que des aliments transformés méga riches en sucre raffiné. Il y a du sucre dans tout et partout. Juste pour te dire, il n'y a plus d'eau dans nos robinets : c'est de la limonade ou du soda à l'orange. On a le choix entre les deux, mais on ne peut plus avoir d'eau.

Je me mets à rire.

– **MAIS C'EST IMPOSSIBLE !**

Fiasco se lève et reprend la parole :

– Non, c'est la vérité. C'était drôle au début et on a fait la fête tous les jours. Mais, à la longue, on a connu de graves problèmes. Ici, c'est un peu différent de chez toi. Notre monde est fantastique. Par exemple, nos chevaux sont des licornes et les chats volent… ou volaient, parce qu'ils commencent à être malades à cause de la limonade et des autres aliments ultra-transformés qu'on leur donne. Manger du sucre, c'est bon, mais quand on ne consomme que ça, on devient dépendant et nos comportements changent.

Fiasco prend une pause, puis se remet à parler :

– Les Infininitiens de souche, ceux qui sont nés ici avant que la masse noire s'ouvre, ont aussi fait la fête avec nous et se sont laissé emporter par la folie. Nos nouveaux dirigeants, des Infininitiens d'adoption, c'est-à-dire ceux qui sont arrivés en même temps que moi, ont pris le contrôle et ils veulent mettre à exécution le plan S. Si tu es ici, c'est pour nouuuuuus sauuuuuuuuver de ce faaaaameuuuuuux plaaaaaan S.

La voix de Fiasco ralentit. Gourmandine prend la relève :

– Les batteries de la tablette commencent à se fatiguer. Ça signifie que notre temps dans la salle des Possibilités absolues sera bientôt terminé. Nous devons nous dépêcher.

Gourmandine me regarde dans les yeux comme personne ne l'a jamais fait. C'est presque intimidant, mais, étrangement, je me sens super bien.

Ses yeux deviennent comme de petits écrans de cellulaire méga lumineux. Je vois ma cuillère à glaçage qui fait des étincelles et... **CROTTE DE SINGE**, elle devient géante et je vole dessus ! Est-ce que je rêve ? Qu'est-ce qui se passe ? Tout va vite.

Soudain, une sonnerie commence à se faire entendre au plafond. Je sursaute. Mon cœur se met à battre à une vitesse ahurissante.

Gourmandine regarde en l'air et se prend la tête des deux mains.

– Ah non ! Je pensais qu'il nous restait plus de temps que ça. Nous n'avons que cinq minutes pour quitter la salle. On a besoin de toi, Mini, parce que tu n'es pas encore affectée par l'ultra-supra-méga consommation de sucre raffiné et que tu as une Imagination Extra-Top-Puissante. As-tu vu dans mes yeux ? Veux-tu nous aider ?

Je suis **ESTOMAQUÉE**. Tout déboule à 100 milles à l'heure. Mais, étrangement, je suis bien. Je vis une sensation que j'ai rarement ressentie. En même temps, j'ai la chair de poule.

– Oui ! Je me suis vue sur ma cuillère. Elle faisait des étincelles scintillantes jaune-orange avec une queue multicolore comme une étoile filante. Je volais !

Je n'en reviens pas. Je suis une jeune fille du Québec. Je ne suis pas en Angleterre dans Harry Potter. Je suis au Canada !

Gourmandine intervient :

– Non, Mini. Tu es dans l'Infinini. Un univers parallèle.

CROTTE DE SINGE, Gourmandine voit vraiment ce qui se passe dans ma tête ! Je ne sais pas si je rêve ou si c'est vrai, mais je crois que c'est vrai.

Je sens une énergie toute douce me traverser, des pieds jusqu'à la pointe des cheveux. Paulette-les-palettes se lève et applaudit.

– **BRAVO! BRAVO!** Bravissimo! Mini a vu dans tes yeux! Elle n'a plus peur. Elle a senti l'énergie. Saint-Sauveur-des-beignets-pas-de-trou, ses cheveux ont frisé! Elle s'est connectée. Voilà une bonne chose de réglée. Maintenant, veux-tu nous aider, Mini?

Je touche mes cheveux. Ils sont frisés! Je me suis connectée? Hein? Quoi? Je n'arrive pas à penser.

La sonnerie, de plus en plus forte, va de plus en plus vite et mes nouveaux amis – je crois que je peux les appeler ainsi – sont de plus en plus impatients. Fiasco utilise tout ce qui lui reste d'énergie.

– Tu dois nouuuuuuuus réponnnnnnnndreeeeeeeeeeee.

Gourmandine me prend par les épaules.

– On n'a plus de temps à perdre, Mini. Lis à voix haute ce que tu vois dans mes yeux. Je t'expliquerai après.

J'hésite.

La sonnerie retentit de plus en plus fort.

J'hésite encore. Je suis comme une statue… frisée.

– Hum… 11 h 11, 4 s. À l'Infinini. Mini. LaBrise… C'qui… Go…

Paulette s'impatiente.

– Plus fort ! Reste concentrée, Gourmandine, Mini doit lire dans tes yeux.

Je recommence. Je regarde dans les yeux de Gourmandine et je me concentre.

– 11 h 11, 4 s. À l'Infinini. Mini. LaBrise c'est c'qui…

La sonnerie résonne toujours, de plus en plus fort. On dirait que l'alarme va exploser. Paulette crie :

– Plus fooooooort, petite lapine en sucre !

HEIN ? Comment connaît-elle le surnom que mon père me donne ? J'ai juste le goût de lui dire que c'est elle, la lapine, avec ses palettes ! Mais ce n'est pas le temps de manquer de respect à mes « nouveaux amis ».

Je me fâche. Je vais lui montrer de quel bois je me chauffe !

Je regarde Gourmandine dans les yeux comme jamais. Je lis ce que j'y vois d'écrit :

– 11 h 11, 4 s. À l'Infininiiiiiiiiiiiii Mini LaBrise qui… goooo !

Tu es MINI LABRISKI

Clap ! Clap ! Clap !

POUF ! Tout s'arrête. Plus de son. Il fait noir. Puis, les lumières de la boule disco se rallument. Il y a un peu de fumée jaune-orange (oui, comme mon glaçage). Mais plus de Fiasco ni de Paulette ni de Gourmandine. Personne. Je suis seule. Qu'est-ce qui se passe ?

SLINNNNG !

Ma cuillère de bois réapparaît et tombe par terre. Je la ramasse. Il n'y a plus de glaçage dessus. Elle est propre comme jamais et elle brille comme un sou neuf.

Il y a un papier enroulé autour du manche. Je le déroule. Oh, un message ! Je le lis.

Chère Mini Labriski,

Si tu lis ce message, c'est que tu as prononcé la formule d'activation.

Tu as donc accepté de nous sauver du plan S.

Plan S = plan Sucrabolique des maîtres de l'Infinini.

Si nous sommes absents, c'est qu'on a manqué de temps.

Tu devras réveiller tes 5 pouvoirs.

Ils sont en toi.

Utilise la force de ton Imagination Extra-Top-Puissante.

À toi de jouer !

Sors de la salle et écoute ta petite voix.

Tes amis Gourmandine BedonRond, Paulette-les-palettes-Carrier et monsieur Fiasco-de-la-Fatigue

P.-S. Ne t'inquiète pas, tu retourneras chez toi.
Mais après avoir accompli ta mission.

CROTTE DE SINGE, j'ai dit quoi ? La formule d'activation ? Qu'est-ce que j'ai dit, déjà ?

Je me rappelle les mots que j'ai criés quand Paulette m'a affublée du ridicule sobriquet de lapine en sucre : « 11 h 11, 4 s. À l'Infininiiiiiiiiiiiii Mini LaBrise qui... goooo ! »

Mini LaBrise qui... goooo... ?

Dans l'Infinini, ça veut dire... Labriski ? Est-ce que ça serait ça ?

Alors que je me questionne, ma cuillère se réchauffe un peu et le nom Mini Labriski apparaît sur le dos.

MAMAN ! Viens chercher ta fille !

Je mets la main sur ma tête et je me souviens que Paulette disait que mes cheveux avaient frisé.

POUF ! Un miroir se matérialise devant moi dans une fumée brillante.

HEIN ? C'est vrai ! Mes cheveux sont frisés et j'ai des lunettes de style chat comme portait mon arrière-grand-mère. Je porte un tablier de chef mégacool jaune pétant, juste à ma grandeur, une jupette, un legging de feu et des espadrilles de rêve qui s'illuminent sous mes pas. Wow !

POUF ! Un sac à dos apparaît dans un nuage de brillants bleu turquoise, ma couleur préférée, et tombe sur mes pieds. Je le prends et l'ouvre. Il est vide. Je regarde à nouveau ; les vêtements que je portais sont dedans. **HEIN ?** Comment est-ce possible ?

La sonnerie d'alarme repart de plus belle et j'entends une grosse voix électronique qui vient du plafond. Rien à voir avec les voix de mes amis :

– Mini Labriski, bravo, vous avez compris. Il était temps !

J'entends une foule qui applaudit et des « Bravo, Mini Labriski ! », comme si des gens étaient cachés dans le plafond. Le bruit s'arrête et la voix continue :

– Vous êtes l'élue ! Maintenant, apprenez à utiliser votre imagination à la puissance de l'Infinini et vous pourrez sauver le monde. Ne faites pas l'adulte qui remet tout à demain. Cessez de vous questionner et foncez ! Le temps presse. Prenez vos affaires, Mini Labriski, et sortez d'ici !

La frousse me reprend.

– Hum, oui, mais...

La voix se fâche :

– **SORTEZ ! MAINTENANT !!!**

Je prends ma cuillère en bois et le sac à dos. Je regarde rapidement dans le miroir qui est toujours devant moi. Il y est écrit **FONCESKI** en néon fluo.

L'alarme est toujours plus forte, stridente. Je m'ennuie de ma mère deux secondes, mais je sais que ce n'est pas le temps de me morfondre. Je fonce. Je cours vers les portes géantes. Il y a de la lumière autour qui fait qu'elles brillent. Mais elles sont loin.

Je cours le plus vite possible, mais la salle est immense.

Je me pose plein de questions. Qu'est-ce qu'il y a de l'autre côté? Comment vais-je revenir?

J'ai l'impression de courir pendant une éternité. Je cours et je cours, mais, **CROTTE DE SINGE**, je n'arrive pas aux portes!

L'alarme est toujours aussi forte et la voix se fait entendre de nouveau:

– Cessez d'avoir peur et **SORTEZ**, **MINI LABRISKI**, **GOOOOOOOO**!

J'arrête de penser. Je donne un dernier sprint, je tiens très fort ma cuillère dans ma main droite et, dès que j'arrive près des portes, elles commencent à s'ouvrir. La lumière est forte, je suis aveuglée et une brise chaude me souffle au visage.

Je me retourne pour regarder derrière moi. La salle est toute petite. **HEIN ?** J'ai pourtant l'impression d'avoir parcouru des kilomètres.

Dès que je suis entièrement sortie, les portes se referment. J'entends un « AU REVOIR » de la voix numérique. Puis… QUOI ? Tout disparaît dans une petite fumée jaune-orange. Plus de salle des Possibilités absolues. Plus rien.

Je me retourne.

Ce que je vois est **IN-CRO-YA-BLE** !

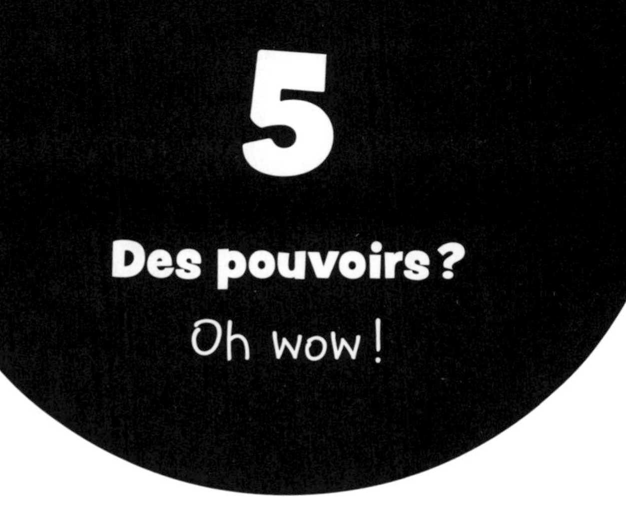

5

Des pouvoirs ?

Oh wow !

Il y a plein de couleurs vives à perte de vue. Du bleu, du rose, du jaune, du rouge, du vert. Le paysage devant moi est **FLAMBOYANT !** À l'horizon, on dirait un village où tout est multicolore… comme mes glaçages sur mes petits gâteaux.

Une licorne passe devant moi, me fait un clin d'œil et repart au galop. Des fleurs virevoltent dans le ciel d'un bleu magnifique, des ballons de soccer volants (avec des ailes de poule) passent rapidement et des barbes à papa géantes de toutes les couleurs et de toutes les saveurs bordent un chemin arc-en-ciel.

Ça sent les cristaux de sucre ! L'odeur me rappelle la boîte « secrète » pas vraiment secrète de mes parents.

Je marche sur un caillou, je le regarde et je constate que... c'est un petit bonbon au centre mou.

CROTTE DE SINGE, je suis au paradis ! Et j'ai faim ! Je pourrais peut-être prendre un petit morceau de barbe à papa. L'aventure, ça creuse l'appétit !

Je m'approche pour prendre un morceau en me disant que je pourrais aussi remplir mon sac. Ma cuillère devient chaude. Puis j'entends une voix qui chuchote tout bas :

– Psst ! Psst ! Ne fais pas ça. Ne touche pas à l'arbapapa, Mini Labriski.

Je regarde partout.

– Qui parle ?

La voix continue :

– C'est moi, Paulette. Je suis derrière l'arbapapa à la lime.

– Paulette ? Tu es ici ? Mais pourquoi parles-tu aussi bas ?

– Je t'expliquerai. Viens me rejoindre sans te faire voir.

Me faire voir ? Mais il n'y a personne autour.

J'ai la frousse. Mais je me rappelle que je ne dois pas avoir peur.

Je prends mon courage à deux mains et je me dirige vers l'arbapapa vert limette. (L'arbapapa! J'adore ce nom.)

Ma cuillère est de plus en plus chaude. Derrière, une main me fait signe d'avancer. Ce que je peux avoir le goût de prendre une petite bouchée de **BONBON-CAILLOU-AU-CENTRE-MOU** en passant! C'est la première fois de ma vie que j'ai le goût de manger des cailloux. Ça sent tellement bon!

Paulette a enfilé une cagoule vert limette, presque le même vert que l'arbapapa. Je ne peux pas voir son visage.

– Paulette, c'est bien toi?

– Oui, c'est moi.

Je ne la reconnais que par sa voix. Elle continue de chuchoter:

– N'aie pas peur. Conseil numéro un, ne touche pas à la végétation sucriante*. Résiste à tes envies de tout dévorer.

---

* Sucriante est un mot inventé: c'est le mélange de «luxuriante» (qui pousse avec abondance et avec vigueur) et de sucré. Dans l'Infinini, la végétation est sucriante.

Surtout, ne mets rien de sucré dans ton nouveau sac ; tu pourrais le contaminer et perdre tes pouvoirs.

– **PERDRE MES POUVOIRS ?**

– N'as-tu pas constaté que ta cuillère te guide grâce à la chaleur qu'elle dégage ? Le temps presse, Mini, le compteur tourne. On n'a plus beaucoup de temps. Sois à l'écoute de ce qui se passe autour de toi. Et surtout, cesse de douter.

Je réfléchis rapidement. Paulette a raison. La cuillère devient chaude par moments. Néanmoins, je commence à avoir très faim et il sent bon, ce paysage !

– Mais j'ai faim, Paulette ! Si je goûte un peu, ça ne fera de mal à personne. Juste un peu, c'est bon, non ? Mon père dit toujours qu'un peu de sucre, c'est bon pour le moral.

– Chez toi, oui. Mais ici, tout est contaminé. Si on mange une seule bouchée d'arbapapa, on ne peut plus s'arrêter. On en prend mille autres. Plus on en mange, plus on en veut et plus on ne veut que ça.

– Juste un peu... S'il vous plaît... Outch !

Ma cuillère est devenue **BRÛLANTE**. Je la laisse tomber et je constate que l'inscription Mini Labriski commence à disparaître.

Paulette me dit de me concentrer et de me ressaisir parce que, sinon, je vais tout saboter. Son avenir et celui du monde entier dépendent de moi. Mais moi, on ne m'a toujours pas expliqué c'est quoi, le fameux plan S.

Paulette avance un peu pour que je puisse voir son visage. Je sursaute : ses dents sont noires comme la nuit. Elles sont cariées de bord en bord.

– **AHHHHHHHH !**

– Tu comprends mieux mon nom prédestiné, maintenant. De Paulette Carrier, je suis devenue Les palettes cariées.

– Mais elles étaient blanches tantôt, dans la salle des Possibilités absolues.

– Tantôt ? Ha ha ha ! Tu veux dire il y a trois jours.

– **HEIN ?**

– Chère petite Mini Labriski. Tu es restée trois jours dans la salle des Possibilités absolues. Tu peux bien avoir faim ! Trois jours en temps Infinini... Moi, je t'attendais ici. Il faut croire que tu avais peur de quelque chose et que tu doutais. Je t'attendais pour te donner des explications afin de te faire avancer dans ta mission.

– **TROIS JOURS?!** Mais mes parents doivent avoir appelé la police!

– Non! On te l'a dit, tu n'auras été partie que quatre secondes en temps de chez toi.

Je reprends la cuillère. Elle est moins chaude et le nom Mini Labriski commence à revenir. Paulette reprend:

– Mes dents sont noires parce que j'ai abusé, moi aussi, des tentations sucriantes de l'Infinini. Moi aussi, j'ai fait la fête. Tout est maintenant super sucré. Si tu goûtes une seule fois à ce qui te fait envie, il t'arrivera la même chose. Tu dois résister. Saint-Sauveur-des-beignets-pas-de-trou, dis-moi que tu sauras être forte.

– Hum, oui... il le faut. (Mais ça ne sera pas facile de résister.) C'est quoi, le plan S?

– Le plan S vise à multiplier par mille cet effet chez les habitants pour les rendre encore plus **ACCROS**. Les dirigeants veulent faire des expériences pour ensuite ouvrir la masse noire et déverser des tonnes et des tonnes de sucre contaminé sur la Terre. Ils ont perdu la tête. Tu imagines les conséquences? Du sucre dans les océans, du sucre dans le gazon, de l'eau de pluie sucrée. Du sucre, du sucre et encore plus de sucre partout et dans tout. C'est presque un film d'horreur, quand on y pense. Dis-moi que tu as en toi la force de freiner ce projet.

Je regarde ma cuillère. J'ai envie de dire oui et le nom Mini Labriski devient d'un noir franc. Je sens de nouveau l'énergie monter en moi, de mes pieds à mes nouveaux cheveux frisés.

– Wow ! Tu as vu ma cuillère, Les palettes, euh, je veux dire Paulette ?

– Oui, Mini Labriski. Es-tu convaincue maintenant ?

– Oui ! Ma mère me dit toujours d'écouter ma petite voix intérieure.

– Prononce à voix haute ton nom d'ici et, tout de suite après, dis « go, go, goski ».

– **HEIN ?**

Paulette fronce les sourcils.

– Allez !

Je répète :

– **MINI LABRISKI, GO, GO, GOSKI !**

– Ouin, tu manques un peu de conviction, mais on va dire que ça va faire. Maintenant, n'hésite plus.

Si je ne peux pas manger, je pourrais au moins boire. Je vois une fontaine dans le parc.

– Je pourrais peut-être prendre un peu d'eau dans la fontaine, Paulette.

– Non ! Il n'y a pas d'eau ici. C'est de la limonade cristalimone que tu vois. C'est de l'eau contaminée au sucre et aux arômes artificiels de citron. Je vais t'amener quelque part. Enfile ça et reste près de moi.

Paulette me tend une robe de moine rose comme la rangée d'arbapapas qu'on se prépare à traverser. On dirait une soutane avec un énorme capuchon kangourou.

Ça sent le bonheur multiplié par un milliard, mais je résiste. Je suis Mini Labriski et j'ai une envie soudaine très intense de sauver le monde ! J'ai juste hâte de savoir ce que je dois faire et quels sont mes pouvoirs.

Dans ma cagoule-robe-de-moine, je marche très près de Paulette-les-palettes-Carrier. De loin, on doit ressembler à deux buissons qui avancent et qui s'effacent dans le paysage. Je trouve ça **EMBALLANT !** Je me dis que c'est le temps d'en savoir plus.

– Paulette!

Elle met sa main sur ma bouche. Beurk! Sa peau sent la pourriture de vieille crème glacée fondue au soleil.

– Ne parle pas si fort. Les espions givrés sont partout!

Je me mets à chuchoter:

– Hein? **DES ESPIONS?** Mais on ne voit personne.

Elle reprend:

– Oui. Ils sont partout. Regarde autour de toi et demande à tes yeux de te les montrer. Là-bas, à la ville, vois-tu comme ça grouille? C'est la population. Ici, il n'y a que des espions électroniques, c'est pour ça qu'on doit essayer de se camoufler un peu.

J'essaie de regarder, mais je ne vois rien. Paulette me dit que c'est parce que je dois avoir très faim. Il faut de l'énergie pour utiliser ses pouvoirs. Je ne dois plus en avoir assez pour les activer.

Les activer? Comment vais-je faire? J'espère qu'on va m'aider.

Paulette me dit d'économiser l'énergie qu'il me reste et de simplement l'écouter. Elle va essayer de me dire le plus de choses possible. Elle parle de plus en plus bas, alors j'ouvre grand les oreilles.

– Le plan S, c'est pour Sucrabolique. Ce mot est un mélange de « sucre » et de « diabolique ».

CROTTE DE SINGE, c'est excitant ! Paulette continue :

– Ta mission aujourd'hui est de les empêcher de mettre leur premier plan en action. Tu dois les empêcher d'activer le mégabouton S. Nous, on ne peut pas le faire. Ça prend une **IMAGINATION** libre comme la tienne.

J'ai à peine le temps de bien comprendre la situation qu'on entend crier. Un homme fonce sur nous en faisant des bonds sur un ballon d'exercice à moteur. Il avance à une vitesse folle et a les yeux sortis de la tête. Paulette réagit.

– Vite ! Fais-le dévier avec ta cuillère.

– Hein ?

– Ta cuillère !

L'homme fonce sur nous en criant :

– Sucre ! Sucre ! Sucre ! Sucre ! Sucre ! Donnez-moi mon steak-frit-frites à la confituuuuuuuure !

Je vise l'homme avec ma cuillère et je fais des gestes dans le vide comme pour le faire dévier de notre direction.

POUF ! Il bifurque de sa trajectoire.

Stupéfaite, je lance :

– Wow ! Qu'est-ce que c'était que ça ?

Paulette me répond :

– **BRAVO**, Mini Labriski, tu as pris le contrôle de la situation ! Ce pauvre homme essaie de se sortir de sa dépendance à la friture au sucre raffiné. Il est en crise. Je te l'ai dit, les Infininitiens sont en train de devenir fous !

– La friture au sucre ?

– Oui ! Ici, tout est roulé dans le sucre, puis frit, roulé de nouveau dans le sucre et servi avec du sirop.

– **HEIN ?** Même les légumes ?

– Malheureusement, oui. On les fait tremper dans de l'eau sucrée et, ensuite, on les roule dans le sucre.

EURK ! J'ai trop mal au cœur pour parler. Mon énergie diminue soudainement. **BANG !** Comme si mes batteries mouraient.

– Je ne me sens pas bien, Paulette. Ma tête tourne.

– Tu dois avoir utilisé tes dernières réserves d'énergie. On arrive bientôt.

Pendant qu'on marche, je réalise ce que je viens de faire. Je me sens faible, mais fière en même temps.

CROTTE DE SINGE, j'ai des pouvoirs !

Crottes de singe au menu

Miam !

n continue de marcher pendant que Paulette me raconte son histoire dans les détails.

– Je sors d'un long traitement pour recouvrer la santé. L'odeur de crème glacée fondue pourrie qui émane de ma peau vient de mon passé. Dans la salle des Possibilités absolues, mes palettes étaient blanches parce que, dans cette salle, mon corps est capable de se présenter comme j'aimerais qu'il soit en réalité.

Paulette prend une pause, puis reprend :

– Dans l'Infinini, 98 % de la population a perdu la carte à cause des possibilités infinies exploitées en sucrabondance*

---

* Sucrabondance est un mot de l'Infinini. C'est le mélange de « surabondance » et de « sucre ». Ça signifie qu'il y a beaucoup de sucre.

et personne ne sait comment utiliser son imagination pour arriver à faire disparaître le bouton du plan S. C'est ce qui explique pourquoi tu as été choisie. L'Infinini est un univers parallèle et nous voulons éviter que la même chose se produise ailleurs, un jour, dans l'Univers.

Paulette m'explique aussi que monsieur Fiasco-de-la-Fatigue s'appelait monsieur de-la-Fiesta auparavant. Mais, comme il a fait la fête pendant 325 ans sans jamais se reposer et en ne s'alimentant que d'aliments sucrés, il a perdu son énergie vitale. Il se nomme maintenant Fiasco-de-la-Fatigue. C'est pourquoi il parle au ralenti. Dans la salle, il doit utiliser la tablette ultrasensorielle pour arriver à être qui il voudrait être. Cette tablette permet aussi de contrôler la voix de ceux qui ont une imagination pure, comme moi.

Tout ce que j'entends est **INCROYABLE** !

Paulette m'explique aussi que si je doute encore, je serai catapultée dans ma cuisine (bien, en vrai, celle de mes parents !) et que tout sera terminé.

Ici, je suis Mini Labriski et j'ai des pouvoirs. Je dois les activer pour arriver à détruire le bouton du plan S. Si je capte déjà certaines choses, comme la chaleur de ma cuillère, c'est parce que je suis Mini Labriski.

Si tout se déroule bien, je pourrai réaliser d'autres missions et toute ma vie sera agrémentée d'expériences hors du commun mégastimulantes. J'ai presque l'impression que c'est un rêve!

Je suis une super héroïne de l'Infinini. **CROTTE DE SINGE**, ça ne se peut presque pas!

J'essaie de me pincer un peu pour vivre à fond ce moment. Quand je me pince, je sens mes frisettes sur ma tête qui frisent encore plus. Il n'y a pas à dire, je suis connectée!

J'ai tellement faim que je mangerais un mammouth, mais je me trouve chanceuse. Je vais foncer et accomplir ma mission. **MINI LABRISKI, GO, GO, GOSKIIIII!** J'adore l'effet que ça me fait lorsque je prononce cette formule.

On arrive devant un édifice couleur jaune poussin fluo. Une épicerie se trouve au rez-de-chaussée. Sur la façade, il est écrit:

Sur la porte, il est écrit :

Paulette ouvre et me fait signe d'entrer.

Ça sent la confiserie mélangée à la vieille huile à friture de fête foraine. C'est un peu sombre et j'ai l'impression qu'il n'y a personne à l'intérieur. Paulette me signale d'avancer.

– Va jusqu'au bout de cette allée et, surtout, ne touche à rien.

J'avance. Mes yeux regardent partout et lisent tout au passage : tomates rubis sucrées, concombres à la cassonade épicée, poulet à la mélasse, pain triple sucre, pomme à la double tire, fraises au sucre, patates au caramel au beurre, céleri à la réglisse noire, lait de chèvre *boosté* au sucre.

J'ai mal au cœur, mais plus j'avance, plus j'ai faim et plus ma cuillère chauffe.

Au bout de l'allée, il n'y a rien. Ma cuillère est chaude, mais il n'y a rien de rien. Je regarde partout.

– Paulette, qu'est-ce qu'on fait ici ? Il n'y a rien au bout de cette allée.

Paulette me regarde et sourit :

– Chère Mini, à toi de jouer ! Je sais que tu n'as plus beaucoup d'énergie, mais pense à quelque chose de bon pour toi que tu aimerais manger maintenant !

– Le bon spaghetti aux boulettes de ma mère !

– Si c'est ce que tu veux, ferme les yeux et imagine-le.

Je pense très fort, ma cuillère devient hyper chaude et ça commence à sentir la **SAUCE À SPAGHETTI**. J'ouvre les yeux et une porte se trouve devant moi. Je regarde Paulette :

– Elle sort d'où, cette porte ? Il y a du spaghetti derrière ?

Elle ne dit rien et me fait signe de l'ouvrir.

J'ouvre la porte et j'entre.

On se croirait dans la lampe d'un génie. La pièce est toute ronde et partout il y a de petites lumières de toutes les couleurs et plein de miroirs de toutes les formes. C'est presque féerique !

D'un côté, les murs sont remplis de livres de toutes les couleurs, du plancher au plafond. De l'autre, de gros contenants en verre sont remplis de boules de toutes sortes. Au centre se trouvent un comptoir et une table sur laquelle repose une assiette de spaghetti aux boulettes. On dirait que c'est celui de ma mère !

Paulette lance :

– Il y a quelqu'un ? On est arrivées !

Je me retourne. La porte par laquelle on est entrées a disparu. **HEIN ?**

– Paulette, elle est où, la porte ?

– Ne t'inquiète pas de ça. Elle est à la même place qu'avant que tu commences à penser très fort à ce que tu voulais manger. Quand tu vas partir tantôt, elle reviendra. C'est toi qui contrôles tout avec tes pensées. Là, tu as faim. Tu vas manger. Le reste, tu le feras plus tard. Enlève ta cagoule, range-la dans ton sac et mange. L'assiette est pour toi.

J'ai trop faim pour poser d'autres questions !

Je crois que je n'ai jamais mangé aussi vite de ma vie. Le spag' goûte exactement comme celui de ma mère. Dès que j'ai terminé, je me dis que j'en mangerais bien une autre assiette.

BANG ! Mon souhait est exaucé. **CROTTE DE SINGE**, j'adore ça !

Pendant que je mange, Paulette regarde partout et continue de dire à je-ne-sais-qui qu'on est arrivées.

– Il y a quelqu'un ? Mini Labriski est arrivée !

Alors qu'il ne me reste qu'une grosse (pour ne pas dire énorrrrrrrme) bouchée à avaler, une dame vêtue en jaune soleil et mauve apparaît.

– Bonjour, ma Mini !

– Ah, te voilà enfin ! Où étais-tu, Gourmandine ? lance Paulette.

Wow ! C'est vrai que dans la salle des Possibilités absolues, les gens sont différents. C'est pareil pour Gourmandine.

– Gourmandine, c'est bien toi ?

Les yeux enjoués et la fierté dans la voix, elle me répond :

– Oui, c'est bien moi !

– Mais... dans la salle des Possibilités absolues... tu étais... disons... différente.

– Oui, j'incarnais Félicité BedonMignon. Celle que je veux devenir. Tu sais, Mini, j'**ADOOOOOOORE** le sucre. Je suis une véritable bibite à **SUCRE** ! Je suis incapable de résister aux bonbons, aux gâteaux, à la crème glacée… Mais quand on consomme trop de sucre raffiné*, ça fait des ravages. Monsieur Fiasco-de-la-Fatigue est toujours fatigué, Paulette a les dents toutes cariées et moi, je suis toujours essoufflée. J'essaie donc de manger moins de sucre raffiné pour être en meilleure santé.

Paulette lance :

– Ce n'est pas facile, hein ?

– On a tous nos faiblesses ! Je viens de la famille Bedon-Rond et, de génération en génération, on a le bedon bien rond !

Gourmandine fait une pause et reprend :

– Un jour, Paulette, tu vas me remercier d'avoir réussi à ouvrir cette boutique clandestine pour aider ceux qui veulent arrêter de consommer du sucre et augmenter leur bonne énergie.

– **QUOI ?** On est dans une boutique clandestine ?

Je capote ma vie. Je trouve ça extraordinaire.

---

* Sucre qu'on ajoute aux aliments pour leur donner plus de goût. Ne pas confondre avec le sucre naturel qu'on trouve, par exemple, dans les fruits.

CROTTE DE SINGE! En un instant, je me mets à avoir très chaud. Ma cuillère près de ma main se soulève toute seule de la table. Et part comme une fusée en mode balloune qui se dégonfle. J'explose:

– Eille! Ma cuillère!

Je ris aux éclats. **HI! HI! HI!**

– Ma cuillèèèèèèèèèèèèèère!

Gourmandine et Paulette lancent à l'unisson:

– Calme-toi, Mini Labriski.

– T'es trop excitée, ajoute Paulette. Dis-lui d'atterrir. N'oublie pas, tu contrôles tout.

– **TOUT, TOUT, TOUT,** poursuit Gourmandine. Tout ce qui se passe dans ta tête.

Tout en les écoutant, je ressens encore plus d'énergie. Je veux essayer quelque chose.

Je cesse de rire, je me concentre et, avec mes mains et mes pensées, j'essaie de diriger ma cuillère. Je lui fais faire des boucles sur elle-même. Dans ma tête, il y a de la musique et je fais exécuter des chorégraphies à ma cuillère. Je suis fière de ce que j'arrive à accomplir et je vais de plus en plus vite. Tellement vite que je perds carrément le contrôle.

Alors que Paulette et Gourmandine me demandent de ralentir, **BOUGNE!** ma cuillère fonce directement dans la bedaine de Gourmandine. Elle rebondit, fait un ricochet au plafond et atterrit directement dans le front de Paulette.

– Outch! Fais attention!

Stupéfaite par l'étendue de mon pouvoir, je m'excuse et je me penche pour la ramasser.

– Vilaine petite cuillère! Ne recommence pas, dis-je en lui décochant un clin d'œil.

Elle devient chaude pendant une fraction de seconde et refroidit automatiquement... comme un petit cœur qui bat. **SERAIT-ELLE VIVANTE?**

Ah! Ce que je peux aimer ce que je vis... À tel point que j'oublie complètement ma «vraie» vie.

– Mais c'est maintenant aussi ta vraie vie, de dire Gourmandine.

– **HEIN?** Tu entends encore ce que je pense?

– Oui. Quand mon taux de sucre contaminé est quasi absent de mon sang, je le peux. Surtout dans cette pièce, car cette boutique clandestine est encore pure… ou presque. Disons que j'ai quelques pouvoirs, moi aussi, mais les tiens sont plus puissants que les miens.

Paulette se montre impatiente :

– Saint-Sauveur-des-beignets-pas-de-trou, on lui donne ses réserves d'énergie ou non ? On dirait que vous oubliez que le temps presse.

– Oui, mon amie Paulette-les-palettes, répond Gourmandine en se dirigeant vers les contenants de verre.

Paulette soupire et me fait signe de suivre Gourmandine.

Je m'approche. Chaque contenant est identifié d'un nom amusant. Je les lis à haute voix :

– JuJuteuse, Mme Avoinette, Fraisichouette, Granolita, Boula datta, Bibitte pockette, Poussière de licorne, Célestine, Poigne de gorille, Nuage d'amour, Pain de soleil, Crickette fruitée, Banane babouine, Grapottinette, Limaçaonne, Vers de tire, Caca Moulu, Sauterelle éternelle, Crottes de singe… **CROTTE DE SINGE !** Je dis toujours ça ! Mais est-ce que ce sont des vraies crottes de singe ?

Jujuteuse
Mme Avoinette
Fraisichouette
Boula Datta
Célestine
Nuage d'Amour
Crickette Fruitée
Banane Babouine
Caca Moulu
Crottes de SINGE

Je grimace.

– Tu verras bien. Elles ont été préparées spécifiquement pour toi. Le pot n'a jamais été ouvert. On t'attendait, lance Gourmandine.

Paulette me rassure :

– Penses-tu vraiment qu'on va te faire manger du caca de singe ? On t'aime trop pour ça, voyons !

Gourmandine monte sur un petit banc, prend le bocal sur lequel est écrit « **CROTTES DE SINGE** » et, tout essoufflée de ses efforts, le dépose sur le comptoir.

Aussitôt, ma cuillère émet de la fumée jaune-orange. Gourmandine, un peu haletante, me dit de venir voir ce qui est écrit sur le couvercle.

HEIN ?

Paulette me dit d'ouvrir le contenant. Je prends le pot et j'essaie de le dévisser. Je n'y arrive pas.

– Concentre-toi, Mini. Imagine que tu es superbionique. Utilise ton imagination. Bientôt, on ne sera plus là pour te guider. Allez, petite lapine en sucre.

Grrrrrrr.

Elle l'a redit. Je n'aime pas ce surnom, je le trouve quétaine. En fait, **JE LE DÉTESSSSSTE !**

(Faut que je me calme.)

Je déteste quand Les palettes (je suis trop frustrée pour dire Paulette) me dit ça.

Re-grrrr. Ça me met hors de moi.

Je place toute mon énergie dans ma rage, je force et **SLOUC !**, j'ouvre le contenant. C'est fantastique! Je suis Mini Labriski et je suis superpuissante.

Ma cuillère se met à tourbillonner sur elle-même. Tout le monde rit. On dirait qu'elle vit mes émotions.

Ha ha ha ! **CROTTE DE SINGE**, c'est génial !

Mais, **HUM**, pour revenir au contenu, est-ce que ces Crottes de singe sentent la vraie crotte ? Le vrai de vrai caca de singe ? J'avance et je sens. **SNIF, SNIF !**

– Mais non, Mini Labriski. Ce sont des collations super énergisantes pour te gonfler à bloc de motivation, de force, de persévérance, de confiance en toi et de bonne humeur contagieuse. Tu vas en avoir besoin pour accomplir ta mission.

Gourmandine a encore lu dans mes pensées. Je la questionne :

– Est-ce que c'est plein de sucre, de friture et roulé dans le double sucre ?

– Mais non ! Tout ce qui est ici est bon pour toi. Zéro sucre raffiné. Juste des bonnes choses.

– Ayayaye. Et est-ce que ça a bon goût ou est-ce que ça goûte la m... les crottes ?

Je sens de nouveau.

Ma cuillère se lève comme par magie et me tape sur les mains. Décidément, elle est presque **VIVANTE !** Pendant que j'ose prendre une bouchée, Paulette se tient la tête à deux mains :

– Non ! Pas ici, Mini. Les gens qui viennent à la boutique veulent enrayer leur mauvaise manie de toujours manger plus de sucre. Ils viennent chercher des réserves pétillantes de santé. Mais il ne faut pas qu'ils se fassent voir. C'est un lieu secret et interdit par…

– Je crois que tu en as assez dit ! lance Gourmandine, l'air fâché.

Pour ma part, je suis aux anges !

– **CROTTE DE SINGE** que c'est bon, des Crottes de singe ! Cette bouchée est telllllllement bonne. Ça goûte le jour de fête. Qui veut empêcher les Infininitiens d'en manger ?

Paulette se frotte les mains et regarde Gourmandine.

– Veux-tu le dire ou c'est moi qui le fais, Gourmandine BedonRond ?

– **PAULETTE-LES-PALETTES**, tu sais bien que je fais touuuuuut ce que je peux pour nous sauver. Rappelle-toi que c'est moi qui t'ai parlé du projet.

Gourmandine devient rouge écarlate. Des gouttes de sueur perlent sur son front. Elle prend de grandes respirations et finit par dire :

– Cette boutique clandestine est interdite par la famille BedonRond.

Je suis **ESTOMAQUÉE**. Je suis certaine que les yeux me sortent de la tête.

– La famille BedonRond… comme dans Gourmandine BedonRond ?

– Oui.

7

Tout est en toi

Go, go, goski !

Alors que Paulette me prépare une réserve de Crottes de singe à mettre dans mon sac, Gourmandine m'explique que ses ancêtres sont les fondateurs de l'Infinini.

INCROYABLE ! C'est son arrière-arrière-arrière-grand-père qui est tombé dans la masse noire. Je n'en crois pas mes oreilles.

Tout au long de son récit, ma cuillère ne cesse de virevolter. Il va vraiment falloir que j'apprenne à la contrôler.

Aujourd'hui encore, c'est la famille BedonRond qui dirige l'Infinini et qui veut mettre le **PLAN S** à exécution. Gourmandine a tout essayé pour faire changer d'idée les membres de sa famille, mais ils ne l'écoutent pas. Ils ne vivent que pour ce plan.

– Ils ont même nommé leur nouveau chien réglisse de garde Sucrabolique, en l'honneur du plan ! dit Gourmandine.

Ici, les chiens saucisses se nomment des **CHIENS RÉGLISSES** parce que leur corps est long et torsadé à cause du manque de nutriments. Mouillés, ils dégagent une odeur de sucre en putréfaction. C'est drôle et très triste en même temps.

– Même ma mère ne comprend pas la vision que j'ai d'un monde plus équilibré, poursuit Gourmandine. Depuis ma naissance, j'ai toujours eu tout ce que je voulais sans jamais faire d'efforts. Aujourd'hui, je veux prouver que je suis capable de bouleverser l'histoire parce que je crois en un monde meilleur.

C'est aussi pour ça qu'elle rêve de devenir Félicité Bedon-Mignon. Ce n'est pas toujours facile pour elle parce que sa famille sabote ses efforts. Mais elle y croit. Très fort. Chaque jour, elle fait de petits pas. Des fois, ils sont **MICROSCOPIQUES**, mais ça compte quand même.

C'est pour se prouver à elle-même que tout est possible que Gourmandine a ouvert l'épicerie clandestine. Elle fait venir les produits lorsqu'elle a accès à la salle des Possibilités absolues.

Le père et l'oncle de Gourmandine, Gros-Louis Bedon-Rond et Colossin BedonRond, commencent à se douter de quelque chose et ils veulent mettre le **PLAN S** à exécution dans les prochains jours, voire les prochaines heures. C'est pour ça que je devais arriver dans l'Infinini rapidement.

– Tu sais pourquoi on t'a fait venir chez nous, Mini Labriski ? me demande Gourmandine.

– Parce que j'ai une Imagination Extra-Top-Puissante et que je dois fracasser le bouton du plan S ?

– Oui… mais je te parle de la vraie raison. Sais-tu comment on a su qu'on avait besoin d'une fille imaginative comme toi, qui vient de SON espace-temps et qui se nomme, ici, Mini Labriski ?

J'ignore la réponse, mais je crois qu'elle va être vraiment intéressante. Je réponds :

– Aucune idée.

– Parce que j'ai trouvé un papier dans les archives secrètes de ma famille disant que mon ancêtre était tombé dans la masse à **11 H 11 MIN**. Sur ce papier, on disait aussi qu'un jour, si ce monde coloré et incroyable devenait malsain, on pourrait se mettre à l'abri de ce qui est dangereux grâce à une Mini imaginative née un

4 septembre. À-l'abri-de-ce-qui… l'abri-ce-qui… Labriski. Mini Labriski ! 11 h 11, 4 s.

Ben voyons donc, elles savent que je suis née un 4 septembre !!!

Paulette, comme toujours, commence à s'impatienter. Elle me donne mon sac rempli de Crottes de singe.

– Alors voilà, tu sais tout. Maintenant, tu vas devoir partir.

– Mais l'activation de mes pouvoirs ? que je demande, un peu étourdie par cette histoire abracadabrante.

– Tu en as activé plusieurs déjà à travers tout ce que tu viens de vivre. Souvent, tu avances et tu évolues sans t'en rendre compte.

Gourmandine ajoute :

– On ne peut pas tout te dire. Tu dois aller explorer et réussir ta mission. Quand on a une **IMAGINATION EXTRA-TOP-PUISSANTE** comme la tienne, on n'a pas besoin de connaître l'avenir ; on fonce et on le crée.

Je sens Paulette qui se calme un peu.

– OK, Mini Labriski, tu dois nous mettre à l'abri de ce qui est dangereux. Tu as cinq sens. Donc, cinq pouvoirs. C'est facile comme les cinq doigts de la main. On ne te l'avait pas encore dit ?

Gourmandine enchaîne :

– Le toucher : ta cuillère te guide. Suis-la, elle agit comme ton accélérateur d'intuition. Le goût : ne mange que des Crottes de singe. Ça suffira. Résiste aux tentations puisque tout est contaminé ici. L'odorat : suis la forte odeur du sucre double, sucre frit, roulé dans le sucre maxi-sucre. Plus ton nez te dira que c'est sucré, plus proche tu seras de l'endroit où doit se dérouler ta mission. Attention au mal de cœur intense !

Paulette continue :

– L'ouïe et la vue maintenant. Ouvre grand les oreilles et les yeux. Les **ESPIONS GIVRÉS** pourraient te piéger. Si tu résistes aux tentations, tu réussiras. Fais confiance à ton imagination. Crois en toi. Attention aux fausses Crottes de singe. N'utilise que celles qui sont dans ton sac. N'oublie jamais que tu es dans l'Infinini, un monde fantastique dans tous les sens du terme. Compris ?

C'est fou, mais j'ai hâte. Je m'auto-impressionne et je n'ai qu'une chose à dire :

– **GO, GO, GOSKI !** Bouton de plan S, je t'aurai. Je ne ferai qu'une bouchée de toi. Je serai Labriskabolique !

Ha ha ha ha ! Laissez venir à moi toute la force de mon Imagination Extra-Top-Puissannnnnnnte.

En m'esclaffant de joie, je fais faire des vrilles à ma cuillère. Elles ne sont pas parfaites, mais ça s'améliore. Ce que je peux aimer ce petit jeu !

C'est comme le drone que mon cousin Léon a reçu à Noël, mais en plus génial.

HA ! HA ! HA ! J'ai tellement de plaisir que j'en oublie mes amies.

Soudain, un frisson me traverse le corps. Je regarde autour de moi : il n'y a plus personne ! J'échappe ma cuillère. En la ramassant, je regarde partout.

– Gourmandine ? Paulette ? Où êtes-vous ?

UN SILENCE GLACIAL S'INSTALLE.

– Gourmandine ? Paulette ?

Ah non ! On dirait qu'elles se sont encore volatilisées.

Ma cuillère devient chaude et se propulse vers le plafond... Je lève les yeux et je lis, en néon, dans l'un des miroirs :

TOUT
EST EN TOI!
GO,
GO,
GOSKI!
TES AMIES
DE
L'INFININI

Une cuillère volante

Cataboom !

’ai la chair de poule. Il fait maintenant tellement froid dans la pièce que je me dis que c’est le moment de partir.

Je prends mon sac, ma cuillère et… je me demande par quelle porte sortir. Il y avait une seule porte dans la pièce quand je suis arrivée avec Paulette et maintenant, il y en a trois. Qu’est-ce que je fais ?

C’est étourdissant, tout ça. Je me dis que c’est peut-être mon imagination qui me joue des tours.

Je décide de prendre la porte de droite.

Je l’ouvre.

AHHHHHHHHHHHHHHHHHHHHHHHH !

De l'autre côté, il n'y a ni plancher ni sol. C'est comme si la pièce était suspendue dans le ciel. La lumière est aveuglante et j'entends chanter. On dirait des anges… mais des anges diaboliques.

Je referme la porte aussitôt. Je n'ai pas le goût de tomber dans le vide. **OUF !**

Ma peur revient. Mais je n'ai pas le temps d'avoir peur, c'est le temps de sauver l'Infinini.

J'entends un grincement électrique, comme dans les films. C'est le néon **TOUT EST EN TOI !** qui clignote. Ça me donne un élan de force et de confiance. Je comprends que c'est encore un signe. Je me dis : « Pas de tataouinage, Mini Labriski. Tout est en toi, alors sois vite sur le piton. **FONNNNNNCE !** »

Sans hésiter, je m'élance vers la porte de gauche. Je ferme les yeux, prends une grande inspiration, l'ouvre et sors pour arriver… je ne sais où. Mes fesses se serrent (oui, comme pour retenir un pet) et je croise les doigts. J'espère ne pas tomber dans le vide.

Aussitôt, j'entends :

– Bonnnnnjouuuuuuur, Miniiiiiii.

CROTTE DE SINGE, je suis toujours en vie. J'ouvre les yeux :

– Monsieur Fiasco-de-la-Fatigue ? C'est vous ? Ce que je peux être contente de vous voir !

– Moiiiiiii auuuuuussssi, Miiiiiniiiiiiiii.

Rapidement, je regarde autour de moi. On est dans une forêt d'arbapapas de style tropical. La porte par laquelle je suis arrivée s'est refermée et a disparu dès que monsieur Fiasco m'a parlé.

L'odeur sucrée est incroyablement merveilleuse ! C'est comme un mélange de parfums de voyage dans le Sud, d'ananas, de vraie crème fouettée aux fraises et de noix de coco.

Monsieur Fiasco est assis sur une chaise rouge, trop fatigué par sa fatigue, fatigué d'être fatigué d'être fatigué par sa fatigue qui le fatigue d'être fatigué. Il me fait signe de regarder plus bas. Ses pieds commencent à disparaître. Son corps n'en peut plus.

CROTTE DE SINGE !!!

Il faut que je reste calme, parce que ça ne sert à rien de paniquer. Je suis Mini Labriski, je suis en mission et le temps compte plus que jamais ! Je sais tout ça parce que monsieur Fiasco m'a donné un papier sur lequel c'est écrit. Il doit garder ses dernières forces pour tenir bon avant de disparaître au complet. Si ça arrive, ça sera la fin.

De l'autre côté de la forêt, il y a une clairière des âmes parties et cristallisées dans le temps. C'est comme un cimetière. Monsieur Fiasco se prépare, mais il espère que j'arriverai à le sauver. Il croit en moi.

Pour l'aider à tenir bon, je lui donne une grosse poignée de Crottes de singe.

– Mangez, monsieur Fiasco, ce sont des Crottes de singe. Ne touchez plus à cette carotte que vous avez dans la main. Elle est contaminée au sucre. Vous le savez, pourtant.

Même s'il m'a demandé dans la salle des Possibilités absolues de le tutoyer et de l'appeler Fiasco et non monsieur Fiasco-de-la-Fatigue, je ne peux pas. Pas en ce moment. Je dois le **RESPECTER**. J'imagine que c'est mon grand-père et mon cœur fait des millions de tours. Je continue, plus concentrée que jamais.

– Tout est bon pour vous là-dedans. On s'entend, ce n'est pas du vrai caca de singe. Ce n'est que de la bonne énergie. Connaissez-vous ça ?

Je me penche vers lui et je chuchote :

– Ça vient de la boutique clandestine de Gourmandine.

Je le dis tellement bas que je ne sais pas s'il l'entend.

Mais il me sourit et me fait signe que oui de la tête. Je sens que son énergie diminue à la vitesse grand V.

Toutes ces émotions me donnent faim. Je prends une Crotte de singe et je mords dedans à belles dents.

– C'est **TELLLLLLLEMENT BON** ! Va falloir que je demande la recette. Ça devrait vous aider à tenir le plus longtemps possible, monsieur Fiasco.

Je sors la robe de moine rose que j'avais pris soin de mettre dans mon sac et je la lui tends. Au besoin, il pourra se cacher ou, du moins, se dissimuler dans le décor le temps que je démolisse le bouton du plan S.

Je vais y arriver. J'y crois très fort. De toute façon, à voir l'état de mon nouvel ami, je comprends que je n'ai pas le choix de réussir.

Mon père me dit souvent de faire de la visualisation et de voir les choses que je désire réaliser. Quand je fais mes gâteaux colorés à la Frida Kahlo, je les imagine toujours dans ma tête auparavant.

En ce moment, je me vois réussir ma mission. Je sens l'énergie de cette force encore plus intense que ce que je pouvais imaginer... Je n'ai aucune limite. Tout est en moi et tout est possible.

Je sors la cuillère de mon sac et je lui dis que c'est le temps de m'épater.

– Le temps compte. Que peux-tu faire pour m'aider, petite cuillère ?

Il ne se passe rien. Monsieur Fiasco, en mordant de peine et de misère dans sa première Crotte de singe, me fait signe de... Je ne comprends pas ce qu'il essaie de me dire.

– Que voulez-vous me dire, monsieur Fiasco ?

Il essaie de mastiquer et me fait signe avec ses mains d'insister.

– Ah ! Je dois insister. Être encore plus convaincue ?

Ses yeux se ferment de fatigue pendant qu'il me fait signe que oui de la tête.

Je reprends :

– Vite ! Vite, petite cuillère ! Hum... toi aussi, tout est en toi. Go, go, goski !

POUF ! BANG ! CATABOOM !
SLURPSKI ! BIZZZPUT !

Ma cuillère devient géante, quasiment vivante, et se glisse sous mes fesses.

HEIN ?

CROTTE DE SINGE, je ne peux pas croire ce que je pense. On va voler ? C'est une cuillère volante ? Comme ce que j'ai vu dans les yeux de Gourmandine.

HA ! HA ! HA ! Je pouffe d'un rire survolté de nervosité. Incroyable !

Je regarde Fiasco. Épuisé, il me zieute d'un seul œil avec un petit sourire en coin.

– Monsieur Fiasco, on va voler. Je vais vous sauver. Vous et tout l'Infinini.

La nouvelle cuillère volante avance un peu. Et…

BOOM.

Je fais une culbute et tombe sur les fesses dans la mousse sur le sol de la forêt. Je n'étais pas prête. J'entends monsieur Fiasco qui rit un peu, silencieusement. C'est vrai que c'est drôle de voir tomber les gens.

Mes mains sont toutes collantes et sentent la framboise bleue. Ah ! ce que je peux avoir le goût de prendre une lichette ! Mais, ce n'est pas le temps. Je dois résister.

Je me concentre, j'essuie mes mains sur mon tablier et j'avale une Crotte de singe pour penser à autre chose.

Je me relève.

CROTTE DE SINGE, je n'ai pas de casque ! C'est peut-être trop dangereux. À vélo ou en ski, je mets toujours mon casque. Je n'ai pas le goût de perdre la tête ni de faire une commotion cérébrale comme la sœur de mon père.

Je repense à ma mission. Je dois l'accomplir. Je dois l'accomplir. Je-dois-l'ac-com-plir. Je suis dans l'Infinini et, ici, tout est différent. Je ne me ferai pas chicaner. De toute façon, qui va me croire quand je vais dire que je fais de la cuillère volante ? Ha ha ha ! Je ris toute seule dans ma tête.

On dirait que ma cuillère est devenue un cheval, ou plutôt une **CUILLÈRE ULTRA-TOP-PUISSANTE**. Elle revient me chercher.

Je décide de m'installer non pas sur le côté, comme une princesse en détresse, mais à califourchon, comme un chevalier en mission. Je m'assois sur le dos de la cuillère et je trouve rapidement mon équilibre. J'imagine que je suis solide comme le roc et que j'ai fait ça toute ma vie. Je me vois, fière pilote de cuillère volante, gagnante de Formule 1 de l'Infinini. Ha ha ha!

Dans ma vision ultrabionique, j'ai un casque de pilote avec visière pour casser le vent et éviter les dragons mouches cracheurs de feu, les grenouilles volantes et les... licornes. La nature est vraiment spéciale, ici.

Wow! Ça fonctionne. Je vole, je vole, **JE VOLE...** et **POUF!**

Comme par magie, j'ai un casque et des lunettes de protection, comme dans ma vision. Ha ha ha ha! Je ris aux éclats et ma cuillère me fait faire une vrille.

YAHOOOOOOOO! Mon Imagination est vraiment Extra-Top-Puissante et tout se matérialise presque instantanément. Quelle sensation!

Je profite de ces instants incroyables pour regarder en dessous de moi et faire un carpe diem. Mon prof d'éducation physique nous a parlé de ça pour dire de prendre le temps de s'arrêter et de profiter du moment présent. Je carpe diem mon premier vol à dos de cuillère-cheval-volante-ultra-top-puissante. Voler dans le ciel de l'Infinini est une sensation nouvelle. Je n'ai peur de rien. Si je tombe, un filet me fera rebondir (je viens de décider ça).

C'est étonnant à quel point ma **CUILLÈRE-CHEVAL-DE-COURSE** se pilote bien. Je suis fière de ce que j'arrive à faire. On dirait presque que je suis dans une fusée tellement je vais vite.

Ce que je vois est vraiment impressionnant !

La ville est entourée à perte de vue de végétation sucriante hyper colorée. Je me demande ce qui arrive aux forêts d'arbapapas quand il pleut. Disparaissent-elles ? Fondent-elles et se transforment-elles en carrés de sable colorés ? J'imagine que tout repousse automatiquement, comme de la mauvaise herbe ou des pissenlits. Ça doit être ça.

Pendant que je pense à toutes ces possibilités, l'énorme manche de ma super cuillère devient soudainement ultra-brûlant. On est vraiment connectées, elle et moi.

Je lève la tête et je scrute l'horizon : oh ! je crois qu'elle m'amène directement là où l'on doit aller. **CROTTE DE SINGE**, ça doit être ça, suivre son intuition.

Ma cuillère lit ce qui se passe dans ma tête. On traverse des vallées et des montagnes. Je croise des bêtes étranges et, sans vraiment savoir où je dois aller, j'arrive, je crois, au lieu de ma mission.

Un étang de cristalimone

Splouche !

Sur ma cuillère, on fonce à vive allure vers… un lac. Oh non ! Je n'arrive pas à la ralentir. Elle suit la vitesse des battements de mon cœur et… **SPLOUCHE !**

Heureusement, il n'y a pas plus d'eau qu'à la piscine municipale. Juste assez pour ne pas me faire mal. Comme je sais bien nager, j'ai eu plus de peur que de mal.

CROTTE DE SINGE, je vais devoir apprendre à atterrir !

Je ramasse ma cuillère, qui a repris son format normal. Visiblement, elle ne se transforme pas en bateau.

Mon sac à dos flotte sur l'eau qui, si je ne me trompe pas, sent le citron : c'est de la cristalimone ! Je suis toute détrempée et… toute collante. Je sors de l'eau. En fait, ce n'est pas vraiment un lac, mais plutôt un étang artificiel puisqu'on dirait que je suis devant un domaine.

En sortant de l'étang de limonade, mon tablier et mes cheveux sèchent automatiquement sous mon casque. Comment savent-ils, mon casque et mon tablier, que je dé-tes-te être toute mouillée ? À moins que ce soit moi qui ai demandé ça... sans m'en rendre compte.

Je pense à monsieur Fiasco-de-la-Fatigue et je me dis que je n'ai pas le temps de trouver ça incroyable. Oui, c'est complètement **FOU**. Oui, je dois m'adapter rapidement à toute cette nouvelle réalité, mais j'ai une mission à accomplir. Je suis Mini Labriski.

Je me concentre : le plan S, le plan S. Où dois-je aller pour trouver **LE BOUTON DU PLAN S ?**

Dans ma tête, je vois une dame avec plein de fleurs sur la tête. Elle ressemble à Frida Kahlo, l'artiste peintre dont je m'inspire pour mes gâteaux.

– Bienvenue, ma petite Mini Labriski.

HEIN ? Je lève la tête.

La dame est devant moi. La dame que je viens de voir dans ma tête est devant moi ! Elle porte une grande robe et ses cheveux sont… des fleurs. Il faut que je m'habitue à cette nouvelle réalité **EXTRA-TOP-PUISSANTE**.

Les yeux grands ouverts, j'avale ma salive.

– Frida ? Vous… vous êtes Frida ?

La dame éclate de rire.

– Ha ha ha ! Non, moi, c'est Fritalina Kolo. Mais, je connais Frida. Elle te salue. Je suis ta bonne fée de l'imagination. Je t'aide à faire fleurir toutes les idées qui sont en toi. Je veux te dire que tu es à la bonne place. Tu es devant la maison des BedonRond. Il ne reste plus qu'à foncer. Gourmandine et Paulette te le diraient : **TOUT EST EN TOI !**

Et elle repart comme elle est arrivée. Je lance :

– Frida, hum… Fritalina !

Aussitôt, une poignée de fleurs multicolores apparaissent dans le ciel et se transforment en message :

Pourquoi est-ce que les gens disparaissent tous, ici ? J'aurais aimé en savoir plus, mais je sais au moins que je suis à la bonne place.

FONCE !

Facile à dire, mais où dois-je aller ?

Je regarde à l'horizon et j'aperçois des yeux qui me fixent. Est-ce que ce serait les espions givrés ?

Je cours me cacher derrière un arbre. Un énorme sapin. Je suis tellement emberlificotée entre ses branches que je me rends compte qu'il y a des boules de gomme balloune sur le tronc. À la place de la gomme de sapin, c'est de la gomme balloune !

Ah ! ce que je peux avoir le goût d'en prendre une ! J'adore la gomme balloune. J'essaie d'en prendre une. Juste une. Je me dis que personne ne va le savoir.

OUTCH!

Je viens de ressentir une petite décharge électrique. Je me rappelle que je ne dois goûter à rien et résister à tout. Zut! J'espère que je ne serai pas catapultée dans ma cuisine. Je dis aussitôt:

– 11 h 11, 4 s à l'Infinini, Mini Labriski, go, go, goski. Je veux faire ma mission. Je veux sauver l'Infinini.

Je me dis que ça ne peut pas nuire si je demande de rester. Je ne veux pas retourner chez moi maintenant. Je me croise les doigts et cesse de respirer.

OK, on dirait bien que je suis encore ici.

Je décide de manger une Crotte de singe pour me changer les idées, mais je m'aperçois que j'ai laissé mon sac à dos près de l'étang. Je sors de ma cachette pour aller le chercher. Alors que je m'apprête à le ramasser, un **OISEAU-ROBOT MÉCANIQUE** gros comme un aigle arrive. Il saisit mon sac à dos dans son bec et s'envole en direction du domaine.

– Eille! Mon sac!

Zut!

Ce n'est pas vrai! Je me suis fait avoir! Je n'aurais pas dû toucher la gomme. Maintenant, les BedonRond doivent savoir que je suis sur leur terrain.

Je me mets à avoir mal aux chevilles et j'entends « **SAUVE-MOI, SAUVE-MOI** » dans ma tête. C'est monsieur Fiasco-de-la Fatigue. Il doit être en train de disparaître.

Ah non! Mais... mais qu'est-ce qui se passe? Le gazon se met à pousser à vue d'œil, comme des lianes vivantes qui sentent la pomme surette et qui s'accrochent à mes pieds. J'hallucine ou quoi?

Ma cuillère? Où est ma cuillère? Je dois partir d'ici.

Ouf! Mon pied l'accroche, c'est presque trop facile. Merci, merci, merci.

J'essaie de la prendre, mais les énormes brins d'herbe vivants essaient de m'en empêcher. Je dois vite partir d'ici. Je prends une bouchée du gazon qui m'empêche de la prendre et le recrache aussitôt. **POUACH!**

CROTTE DE SINGE, c'est vrai que ça semble ultra-méga-sucré et surette × 1000. Ouf! On dirait que les yeux vont me sortir de la tête. **EURK!**

Mais, j'ai ma cuillère.

– Vite, vite, petite cuillère. J'ai besoin de toi.

Il ne se passe rien. Je la brasse un peu. Le gazon-poison pousse toujours. Je hurle :

– Vite, vite, petite cuillère. Tout est en toi. Go, go, goski !

POUF ! BANG ! CATABOOM !
SLURPSKI ! BIZZZPUT !

Ma cuillère, redevenue géante, se met à assommer les herbes géantes vivantes.

– Allez ! Il faut partir.

Elle s'approche de moi, j'y grimpe et on s'envole à une vitesse **SUPERSONIQUE**. Heureusement, j'ai mon casque. Je m'accroche fort et je me penche sur le manche. **YAHOOOOOSKI** !

D'en haut, je vois que les herbes reprennent leur état normal. C'est officiel, ici, tout est possible… Je vais devoir faire attention. Bouton de plan S, je vais t'anéantir ! Je vais m'assurer de saboter ton pouvoir d'augmenter l'intensité du sucre × 1000. Il n'y a pas à dire, c'est une mission sucrabolique !

10

Au revoir, bouton S

Scratch !

Sur ma cuillère, on va si vite que je vois l'oiseau mécanique qui a volé mon sac atterrir directement sur une trappe qui, j'imagine, donne accès à une salle souterraine.

Ma petite voix me dit que c'est le quartier général de la **MAGOUILLE MÉGASUCRÉE DOUBLE SUCRE**. Le vent est glacial, mais je suis si concentrée que j'ai presque chaud.

On commence à descendre (parce qu'on était vraiment haut dans le ciel) et je vois un chien étrange devant la trappe. Il est long et tout croche. Ça doit être le chien Sucrabolique, le chien réglisse dont Gourmandine m'a parlé. À ma grande joie, il semble dormir... debout.

On descend à vive allure. **CROTTE DE SINGE**, je ne sais pas encore comment arrêter... ni atterrir !

Ahhhhaaaaaaaaaaaaaaahh !

Ma cuillère redevient petite et **BANG !** Je fonce directement sur la trappe.

Je suis un peu sonnée. Une chance que je porte mon casque. Je suis tellement concentrée et dans mon personnage que je décide que ça ne me fait pas mal.

Aaaaaaaahhhhhhh !

La trappe s'ouvre sous mes fesses et je tombe dans le vide.

– **AHHHHHHHHHHHHH ! AHHHHHHHHHHHH ! NONNNNNNNNN ! AHHHHHHHHHHHHH !**

Est-ce que je suis en train de retourner chez moi ? Je ne veux pas partir maintenant, je veux terminer ma mission.

– Ahhhhhhhhhhh ! Ahhhhhhhhhhh ! Ahhhhhhhhhhhh !

POUF ! J'atterris de nouveau sur les fesses.

– Outch !

Ça ne me fait pas mal, mais quand même ! Je ne suis pas faite en guimauve !

Je balaie la pièce du regard. Il y a plein d'écrans devant moi. On dirait que je suis dans une salle de contrôle ou, mieux encore, d'espionnage. Je crois comprendre que les écrans surveillent tout l'Infinini. L'oiseau-robot est dans le fond de la pièce et mon sac est posé près d'une espèce de gros cylindre. Un énorme bouton blanc avec un « S » écrit dessus se trouve à côté. Ça doit être **LE BOUTON**.

– C'est toi, Mini Labriski ? demande un homme à triple ventre. Tout le monde parle de toi. Les nouvelles vont vite ici.

Vraiment ? Tout le monde parle de moi ?

Je n'ai pas le temps de réagir qu'un autre homme, tout aussi rond, me saisit le bras.

– Ne perds pas de temps, Gros-Louis, rétorque l'homme. Elle nous a assez embêtés comme ça, la petite, avec ses ondes positives. Depuis le temps qu'on sait qu'elle va arriver ! Appuie sur le bouton pour activer le plan, on s'occupera d'elle après.

– J'ai une idée, Colossin. On voulait l'attraper et elle est venue jusqu'à nous. On va prendre le temps de capturer son imagination. Comme ça, on va être certains qu'elle ne pourra plus revenir dans l'Infinini. Mets-la dans la capsule à extraction.

QUOI ? M'enlever mon imagination ? La capsule à quoi ? Je réplique :

– Hein ? Ça ne va pas. On ne m'a jamais parlé de ça !

Les deux hommes éclatent de rire.

– **HA ! HA ! HA !** Tes amis ne t'ont pas informée du danger ? Voyons, ça fait des années qu'on sait que tu vas te pointer un jour. Nous, on veut ton jus d'Imagination Extra-Top-Puissante pour aller encore plus loin dans nos projets. On veut savoir comment ouvrir la masse noire pour déverser le sucre partout dans l'Univers. Ha ha ha ha ha !

Mon cerveau va très, très vite, **ARCHI-MÉGA-TOP-VITE**. Je suis avec les frères BedonRond et j'ai besoin de toutes mes forces pour trouver un moyen de me sortir de là.

Colossin me tire par le bras. Je pense très fort à ce que je peux faire. Je regarde les écrans et je vois monsieur Fiasco qui est en train de disparaître. Je dois agir vite.

Ma cuillère, dans ma poche de tablier, se met à chauffer. Dans ma tête, j'entends : « Crottes de singe à partager ».

Au moment où Colossin essaie de me faire entrer dans la capsule, j'ai une **IDÉE**. Je me croise les doigts, il faut que ça marche. Je décide de céder. Je cesse de résister et je me lance :

– S'il vous plaît. Laissez-moi au moins reprendre un peu de force. Si vous me laissez manger un peu, votre concentré fait à partir de mon imagination sera certainement encore plus puissant.

Gros-Louis réfléchit un instant et rétorque :

– Elle a raison, la petite. Elle est tellement chétive. Qu'on la gave ! Apportez-lui un repas digne de l'Infinini : soupe aux nouilles de sucre frites dans le sirop, poussin au sucre à la crème triple beurre, cornet de frites de canne à sucre et gâteau triple chocolat au lait avec sauce au choco blanc double crème.

OUF ! Comment pourrais-je avaler tout ça ? Je lance :

– Non, non, non. Ne perdons pas de temps. Donnez-moi mon sac. Je vais manger ce qu'il y a dedans. Ça fera l'affaire. Vous ferez venir le buffet après... pour célébrer.

Colossin me tire vers mon sac et me le donne.

– Allez, engouffre.

Je sors une Crotte de singe. Je la hume et, en même temps, je mets la main dans ma poche de tablier pour tenir ma cuillère.

– Aimeriez-vous goûter ? C'est super bon.

– Qu'est-ce que c'est ? On dirait de la crotte, répond Gros-Louis. Vas-y, Colossin, goûte.

Colossin regarde la Crotte de singe et répond :

– Si la petite en mange, on peut goûter. C'est peut-être ça qui la rend si brillante.

– Tu as raison. Donne-nous ça, Mini Labriski, lance Gros-Louis.

FANTASTIQUE ! Je crois que mon plan va fonctionner. Je donne à chacun une Crotte de singe. Dès qu'ils la mettent dans leur bouche, je sors ma cuillère et je lance :

– Vite, vite, petite cuillère. Tout est en toi. Go, go, goski !

POUF ! BANG ! CATABOOM !
SLURPSKI ! BIZZZPUT !

Elle redevient géante.

Les frères BedonRond, pliés en deux, se mettent à cracher partout.

– **EURK**, qu'est-ce que c'est que ça ? **EURK !** Ça goûte la santé. **EURK !**

Avec ma cuillère, j'essaie d'arracher le bouton sur lequel est écrit « S ». Aussitôt, l'oiseau-robot fonce vers moi. Je l'immobilise à l'aide de ma cuillère. Je force avec tellement d'énergie que je me dis que je suis comme l'homme fort que j'ai vu à la télé. J'arrive à prendre une Crotte de singe et à la lancer dans son bec. Les deux frères, toujours en train de cracher, hurlent de rage.

– Nonnnnnnnn !

L'oiseau cesse de bouger. Je retourne à mon bouton. Les frères, pliés en deux, se roulent par terre. Manger des fibres les rendrait-il aussi malades ? Les fibres seraient-elles si violentes que ça sur leurs intestins ?

J'essaie d'arracher le bouton « S ». Je crois que c'est ma dernière chance. Je force, je force, je force, je dois être rouge comme une tomate et...

SCRATCH ! Le bouton est arraché.

De la fumée noire puante sort de partout. Ma cuillère, redevenue petite, me brûle la main. Une odeur de pourriture me monte au nez. Un rayon lumineux m'aveugle. Je vois Fritalina et ses cheveux en fleurs me regarder dans les yeux. J'entends une foule qui applaudit. Je vois Fiasco me faire un clin d'œil et je me sens aspirée comme un raisin sec dans l'aspirateur. **ZOUUUUUUUUUPE !**

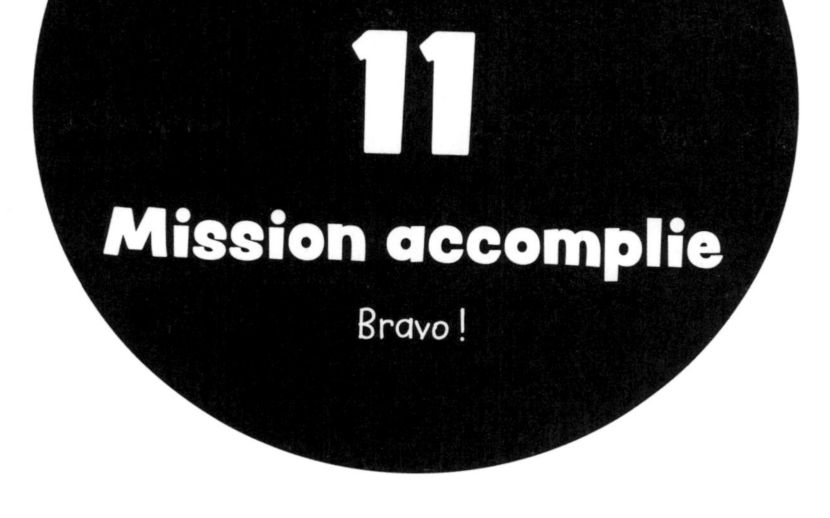

11
Mission accomplie
Bravo !

Zouuuuuuuuuuuuuuuuuuuuuuuuuuuuuuuuuuuupe !
Zouuuuuuuuuuuuuuuuuuuuuuuuuuuuuuuuuuupe !
Zouuuuuuuuuuuuuuuuuuuuuuuuuuuuuuuuuuupe !

L'aspiration continue. Je suis dans le noir. Je comprends que j'ai réussi ma mission et que je retourne chez moi. Je me sens super bien et presque invincible ! Ça doit être ça, la sensation de faire le plein d'endorphines dont ma mère me parle.

BANG ! Je suis chez moi. Dans ma cuisine.

Je regarde le cadran numérique : il est **11 H 11 MIN 15 S**. Je ne suis vraiment partie que quatre secondes. Je regarde autour de moi. Tout est là. Mes gâteaux, mes glaçages, tout. Ai-je rêvé ce que je viens de vivre ? Je regarde ma cuillère, le nom Mini Labriski s'efface tranquillement, comme pour me dire au revoir.

Je porte les vêtements que j'ai enfilés ce matin avec l'idée de cuisiner et mes cheveux sont redevenus raides. Je mets la main dans la poche de mon tablier trop grand. Il y a une enveloppe sur laquelle est écrit « Mini Labriski ». **CROTTE DE SINGE**, je capote ! Ça confirme que je n'ai pas rêvé.

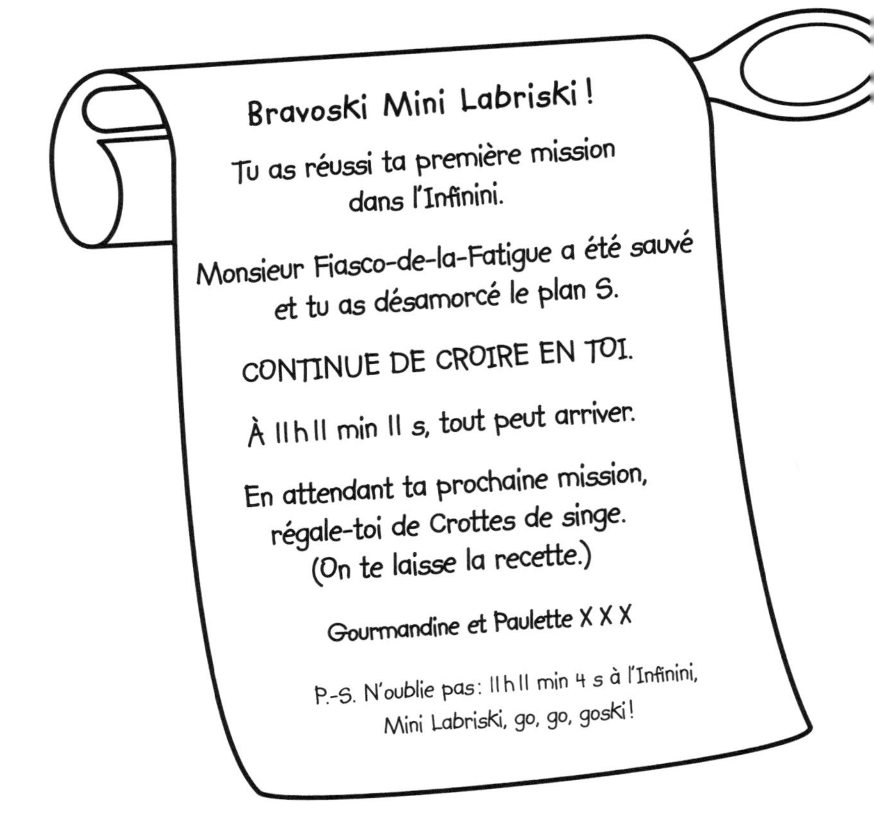
Bravoski Mini Labriski !

Tu as réussi ta première mission dans l'Infinini.

Monsieur Fiasco-de-la-Fatigue a été sauvé et tu as désamorcé le plan S.

CONTINUE DE CROIRE EN TOI.

À 11 h 11 min 11 s, tout peut arriver.

En attendant ta prochaine mission, régale-toi de Crottes de singe. (On te laisse la recette.)

Gourmandine et Paulette X X X

P.-S. N'oublie pas : 11 h 11 min 4 s à l'Infinini, Mini Labriski, go, go, goski !

Alors voilà, c'est vraiment arrivé pour de vrai. Je suis Mini Labriski et je viens de vivre une aventure extraordinaire juste parce que j'utilise les pouvoirs de mon imagination. Ma mère me dit tellement souvent à quel point c'est important de cultiver sa **CRÉATIVITÉ**. Eh bien là, je dois avouer qu'elle a raison.

Je me pince de nouveau. **OUTCH !** J'ai vraiment entre les mains cette note de mes nouvelles amies.

Je crois que je vais mettre ma cuillère à l'abri dans ma chambre ou... à Labriski (l'abri, tu as saisi ?). Il ne faudrait pas qu'elle perde ses pouvoirs dans le lave-vaisselle. Mine de rien, elle n'est pas comme les autres.

J'y pense, que dirais-tu que cette aventure soit notre secret à nous ? Je crois que mes parents ne sont pas prêts à entendre ce qui m'est arrivé. Je ne voudrais pas leur faire peur.

En attendant ma prochaine aventure, je te propose de cuisiner des Crottes de singe avec moi. Tu vas voir, c'est drôle. Juste le fait de dire que tu manges des Crottes de singe, ça va mettre de la **BONNE HUMEUR** autour de toi.

Toi et moi, on doit sauver le monde de la surconsommation de sucre raffiné !

Ton amie, Mini Labriski

Crottes de
SINGE

Recetteski

Crottes de singe

(céréales soufflées, beurre d'arachide et petits fruits)

Donne environ **27 CROTTES DE SINGE**
de 13 g (1/2 oz) et de 5 cm (2 po) de long

Ingrédients

150 g (1/2 tasse) de purée de dattes
150 g (1/2 tasse) de beurre d'arachide naturel ou de Wowbutter
40 g (2 tasses) de quinoa ou de riz soufflé (ou un mélange des deux)
25 g (1/4 tasse) de noix de coco râpée non sucrée
40 g (1/4 tasse) de canneberges séchées non sucrées

Comment faire ?

01 Sortir ta bonne humeur.
02 Mettre tous les ingrédients dans un bol et bien les mélanger.
03 Avec tes mains (bien propres) faire des... crottes.
04 En offrir à tous tes amis.
05 Utiliser tous les jours ton imagination et croire en toi.

Les Crottes de singe se conservent facilement une semaine dans un plat hermétique au frigo. Tu peux aussi les congeler.

À noter : la noix de coco n'est pas une noix. Si tu fais les Crottes avec du Wowbutter, elles sont donc sans allergènes. **Miamski !**